韓国語
コミュニケーションレシピ
（初級）

金 秀晶・朴 鍾厚

HAKUEISHA

まえがき

　この本は、初めて韓国語を学ぶ方を対象にした教材です。様々な場面や状況で楽しく韓国語が身につけられるように工夫して作りました。また、入門から初級、さらに中級の前半までの語彙や文法を一冊にまとめ、内容を充実させたものになっています。大学のシラバスとしては、子母音(字)の習得のためのウォームアップに4コマ、1課から7課までの各課に1〜2コマ、8課以降には2〜3コマを割り当て、全課程が33〜39コマほどで終わる構成になっています。

✿〈韓国語コミュニケーションレシピの構成〉

　本書は「コミュニケーション能力」と「文化的能力」を同時に習熟できるよう目標を設定して内容を構成しています。

✿〈Warm-up〉では、

　韓国語の子音と母音の発音や、それを表したハングルの練習を4コマ分に短縮し、すぐにコミュニケーションの勉強に取り掛かれるように工夫しました。

✿〈本文〉では、

　多様な場面や話題、状況を設定し学習することで、自然な韓国語会話を引き出せるようにしています。各課にSet 1, 2, 3という多様な場面や話題にあわせた、簡単でよく使う会話文を載せ、単語を変えるだけですぐに活用できるようにしています。また間投詞などの語彙も導入することで、より自然な会話ができるようにしています。

✿〈語彙〉では、

　漢字語はもちろん、外来語、オノマトペなどを豊富に取り扱うことで、語彙力向上を図っています。特に、日本語話者が多用する語句を積極的に取り入れました。本文の語彙以外の部分(文法レシピ、表現、やってみよう)に提示したものまで合わせると1,000語以上になります。また前の課で学習した語彙が次の課でもう一度復習できるように工夫し、構成しています。

🌸〈文法レシピ〉では、

　文法の説明のみで行う授業を避けるため、レシピという概念で説明しています。学習者が細分化された文法技術を使わずとも、最小限の文法で豊富なコミュニケーションが取れるように考慮しています。　特に不規則活用などでは、初中級の学習者が十分な語彙を習得できるようにしました。また、文法の否定形（안, 못, 지 말다）、活用語尾（고, 지만, 는데, 어서, 니까 면서, 면, 자마자）、用言の不規則活用および脱落（ㅂ, ㄷ, 으, ㅅ, ㅎ, ㄹ）、連体形（過去、現在、未来）、直接引用まで網羅した内容になっています。

🌸〈表現〉では、

　活用語尾や連体形などと接続するフレーズや慣用表現なども含んでいます。韓国語と日本語の対照言語学的文法知識を反映して、初級段階でも日本語話者になじみのある慣用表現を多く提示しています。

🌸〈やってみよう〉では、

　各課の練習問題では「話す」「書く」「聞く」「実践する」「聞き取り」「セルフチェック」など、様々な能力の向上を図るため、工夫を凝らした内容になっています。

🌸〈カフェトーク〉では、

　食べ物や生活、言葉など身近なものをテーマとし、韓国の文化をより理解できるよう、楽しくわかりやすく説明しています。

　本書での学習を通して、みなさんの韓国語学習にに少しでもお役に立てれば幸いです。

2023年春

著者一同

目次

音声ファイルは、
QR コードをスキャンするとご確認いただけます。

単母音(字)と子音(字)

 01・単母音(字)： ㅏ ㅓ ㅗ ㅜ ㅐ ㅔ ㅡ ㅣ

1 単母音の発音練習：아 어 오 우 애 에 으 이　　🎧 0-1

	発音記号	発音の仕方
ㅏ	[a]	日本語の「あ」と同じように発音する。
ㅓ	[ɔ]	口を大きく開けて「お」と発音する。
ㅗ	[o]	唇を丸くすぼめて「お」と発音する。
ㅜ	[u]	唇を丸く突き出して「う」と発音する。
ㅐ	[ɛ]	日本語の「え」と同じように発音する。現在は韓国人も区別せず発音する人が多い。
ㅔ	[e]	
ㅡ	[ɯ]	唇を横に引いて「う」と発音する。
ㅣ	[i]	日本語の「い」と同じように発音する。

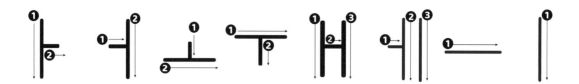

② 日本語と韓国語の単母音の比較

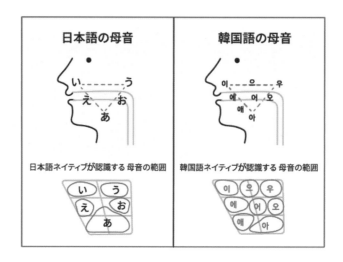

✔ 特に日本語の「う」と「お」の発音にあたる「ㅜ・ㅡ」と「ㅓ・ㅗ」の区別が
　難しいので、しっかり練習しましょう。

③ 単語を読む練習　　　🎧 0-2

아이	오이	어이	에이	우이
아우	어우	오우	우아	우애

02・子音(字)1: ㄱ ㄴ ㄷ ㄹ ㅁ ㅂ ㅅ ㅇ ㅈ ㅎ

【解説】 韓国語は子音のみでは発音できません。
母音を組み合わせて発音することができます。

❶ 平音 平音とは<u>強い息を伴わない音</u>で、単語の頭では濁らない音で語中では
濁って有声音になり、これを「有声音化」と言います。　🎧 0-3

ㄱ[k/g]	가	거	고	구	개	게	그	기
ㄴ[n]	나	너	노	누	내	네	느	니
ㄷ[t/d]	다	더	도	두	대	데	드	디
ㄹ[r, l]	라	러	로	루	래	레	르	리
ㅁ[m]	마	머	모	무	매	메	므	미
ㅂ[p/b]	바	버	보	부	배	베	브	비
ㅅ[s]	사	서	소	수	새	세	스	시
ㅇ[∅]	아	어	오	우	애	에	으	이
ㅈ[ch/j]	자	저	조	주	재	제	즈	지
ㅎ[h]	하	허	호	후	해	헤	흐	히

◆ 書き順 ◆

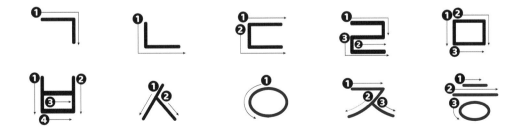

2 声に出しながら書いてみよう。

	ㅏ	ㅓ	ㅗ	ㅜ	ㅐ	ㅔ	ㅡ	ㅣ
ㄱ	가							
ㄴ			노					
ㄷ					대			
ㄹ							르	
ㅁ		머						
ㅂ				부				
ㅅ						세		
ㅇ								이
ㅈ	자							
ㅎ					해			

3 単語を読む練習　🎧 0-4

아기	가구	거기	가게
고기	고구마	고래	나이
누구	누나	너구리	노래
구두	대기	도구	라디오
가로	나라	다리	도로

어머	무기	모두	머리
어머니	아마	도레미	데리고
개미	모기	부모	배우
보리	비누	두부	바보
소리	수도	시기	세로
서로	여보세요	자주	바지
부자	지구	저기	수저
디즈니	그리고	그러므로	새해
아버지	모자	하마	허리
호두	흐르다	헤어지다	호수

4 **文を読む練習**　　　　　　　　　　　　🎧 0−5

(1) 어디에 가니?　　　　　どこに行くの？

(2) 나라하고 히로시마에 가.　　奈良と広島に行くよ。

(3) 바지 두 개 사니?　　　　ズボン2つ買うの？

(4) 아니, 하나 사.　　　　いや、ひとつ買うよ。

(5) 그거, 누구에게 보내니?　　それ、誰に送るの？

(6) 이거, 어머니에게 보내.　　これ、お母さんに送るよ。

二重母音(字)と平音・激音・濃音

 01 · 二重母音(字)：ㅑㅕㅛㅠㅐㅖㅘㅝㅙㅞㅚㅟㅢ

1 二重母音(字)の種類

① y-系二重母音(字)：[ㅣ]から発音して別の母音で終わらせる母音 🎧 0-6

이+아 → **야**　　　　이+어 → **여**　　　　이+오 → **요**

이+우 → **유**　　　　이+애 → **얘**　　　　이+에 → **예**

✔ 現在は韓国人も「얘・예」の区別をしていません。同じ発音で構いません。

② w-系二重母音(字)：[ㅗ/ㅜ]から発音して別の母音で終わらせる母音 🎧 0-7

오+아 → **와**　　　　오+이 → **외**　　　　오+애 → **왜**

우+에 → **웨**　　　　우+어 → **워**　　　　우+이 → **위**

✔ 現在は韓国人も「왜・웨・외」の区別をしていません。同じ発音で構いません。

③ 例外的な二重母音(字)：으 + 이 → **의**

🎧 0-8　「의」の発音

🌸 子音と一つの音節を構成する場合は、単母音の/ㅣ/のように発音する。

무늬 [무니]　　　　희소 [히소]

🌸 最初の音節ではない場合は単母音/ㅣ/のように発音する。

의의 [의이]　　　　주의 [주이]

🌸 助詞「의(の)」の役割をする場合は単母音/에/と発音するのが一般的である。

아버지의 [에] 모자

◆ 書き順 ◆

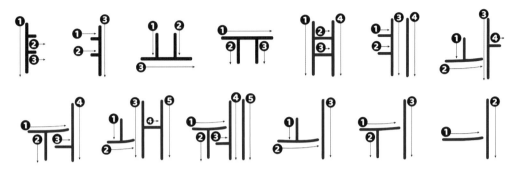

単母音と二重母音のまとめ

	単母音	ㅏ	ㅓ	ㅗ	ㅜ	ㅐ	ㅔ	ㅡ	ㅣ
二重母音	y-系 [ㅣ]	야	여	요	유	애	예		의
	w-系 [오/우]	와	워			왜	웨	외	위

✔ 샤/져/죠/쥬/졔/쟤の場合は単母音の자/저/조/주/제/재と同じ発音になる。

2 単語を読む練習 🎧 0-9

야구	여가	요리	우유
얘기	예의	이야기	여유
교수	휴지	개	외우다
화가	웨이터	후회	뒤
괴리	의사	의리	교회
위기	휴가	효도	왜
여자	귀	쇠	과자
돼지	유도	쥐	와요

3 **文を読む練習**

(1) 누구 기다려요?　　　　　　　誰を待っていますか。

(2) 아버지하고 누나를 기다려요.　　お父さんとお姉さんを待っています。

(3) 취미가 뭐예요?　　　　　　　趣味は何ですか。

(4) 제 취미는 야구예요.　　　　　私の趣味は野球です。

(5) 요리 자주 하세요?　　　　　　よく料理をしますか。

(6) 아니요. 주로 가게에 가요.　　いいえ、主に店に行きます。

(7) 저에게 과자와 우유, 그리고 휴지를 주세요.

　　　　　　　　私にお菓子と牛乳、そしてティッシュをください。

02 · 子音(字)2：ㅋ ㅌ ㅍ ㅊ ㄲ ㄸ ㅃ ㅆ ㅉ

1 **激音** 激音とは、<u>激しい空気の流れを伴う音</u>で、常に無声音、つまり濁らない音です。

ㄱ ⇨ ㅋ	카 커 코 쿠 캐 케 크 키		🎧 0-11
ㄷ ⇨ ㅌ	타 터 토 투 태 테 트 티		
ㅂ ⇨ ㅍ	파 퍼 포 푸 패 페 프 피		
ㅈ ⇨ ㅊ	차 처 초 추 채 체 츠 치		

◆ 書き順 ◆

🌸 発音のコツ：平音と同じく発音する。ただし、肺を使う気持ちで息を強く出す。

2 **濃音** 濃音とは、<u>息を伴わず</u>、当該の**<u>発声器官を著しく緊張させて</u>**出す音で、これも常に無声音、つまり濁らない音です。

ㄱ ⇨ ㄲ	까 꺼 꼬 꾸 깨 께 끄 끼		🎧 0-12
ㄷ ⇨ ㄸ	따 떠 또 뚜 때 떼 뜨 띠		
ㅂ ⇨ ㅃ	빠 뻐 뽀 뿌 빼 뻬 쁘 삐		
ㅅ ⇨ ㅆ	싸 써 쏘 쑤 쌔 쎄 쓰 씨		
ㅈ ⇨ ㅉ	짜 쩌 쪼 쭈 째 쩨 쯔 찌		

◆ 書き順 ◆

🌸 発音のコツ：平音が作られる部位の筋肉を緊張させ、発音する。その時、息は外に出さないように。母音のトーンを上げることでより簡単に発音できる。

> **☆ 平音・濃音・激音の対立 ☆**
>
> 日本語では、ほぼ同じ音として認識されますが、韓国語ではそれぞれ別の音として認識されます。そのため、これらが区別できるかが韓国語の学習においてとても大事です。
>
> 비(雨)：피(血)　　시(詞)：씨(種)　　가래(痰)：카레(カレー)

❸ 発音の練習　　🎧 0-13

가	까	카
다	따	타
바	빠	파
사	싸	
자	짜	차

❹ 単語を読む練習　　🎧 0-14

가다 – 까다	가치 – 까치	다르다 – 따르다
타다 – 따다	바르다 – 빠르다	피다 – 삐다
바다 – 파다	사다 – 싸다	자다 – 차다 – 짜다

❺ 文を読む練習　　🎧 0-15

(1) 차 타고 슈퍼에 가요.　　　車に乗って、スーパーに行きます。

(2) 카메라도 가지고 가세요.　　カメラも持って行ってください。

(3) 코피가 나니 쉬세요.　　　　鼻血が出ているので休んでください。

(4) 아버지 따라서 아이도 자주 와요.　　お父さんについて、子どももよく来ます。

(5) 이 요리가 차고 짜요.　　　この料理は冷たくて、しょっぱいです。

(6) 까마귀가 오고 까치가 가요.　カラスが来て、カササギが飛んで行きます。

終声とパッチム

 01 · 終声とパッチム

【解説】終声とは音節の最後に現れる**子音**で、パッチムはその終声を表す文字のことを言います。終声の発音は、**閉鎖音、鼻音、流音**に分けられます。終声にくることができる**音は次の表の7つ**しかありません。

▮ 韓国語の7つの終声

	閉鎖音[っ]	鼻音[ん]	流音[r/l]
口の奥	ㄱ	ㅇ	
舌と歯	ㄷ	ㄴ	ㄹ
両唇	ㅂ	ㅁ	

🌸 パッチムには複数の子音字が使われるが、実際のパッチムの発音は7つだけになる。

パッチム(文字)	パッチムの音
ㄱ ㄲ ㅋ	[ㄱ]
ㄴ	[ㄴ]
ㄷ ㅅ ㅆ ㅈ ㅊ ㅌ ㅎ	[ㄷ]
ㄹ	[ㄹ]
ㅁ	[ㅁ]
ㅂ ㅍ	[ㅂ]
ㅇ	[ㅇ]

2 単語を読む練習

각	밖	국	도덕	부엌
강	방	종	탕	공항
닫다	듣다	있다	낮	솥
벚꽃	닻	히읗	끝	팥
눈	언니	한국	돈	문
밥	잎	답	법	집
밤	봄	김치	감	김
말	절	물	길	딸기

3 2文字のパッチム：左か右、どちらか1つを発音します。

パッチム(文字)	パッチムの音
ㄳ	[ㄱ]
ㄵ ㄶ	[ㄴ]
ㄼ ㄽ ㄾ ㅀ	[ㄹ]
ㅄ	[ㅂ]
ㄺ	[ㄱ]
ㄻ	[ㅁ]
ㄿ	[ㅂ]

(1) ほとんど**左側**の子音を発音します。　　🎧 0-17

ㄳ　ㄵ　ㄶ　ㄼ　ㄽ　ㄾ　ㅀ　ㅄ

例　몫　앉다　않다　여덟　외곬　핥다　잃다　값

(2) **右側**の子音が発音されるケースは3つのみです。　　🎧 0-18

ㄺ　ㄻ　ㄿ

例　닭　삶　읊다

4 リエゾン(連音) 🎧 0−19

パッチムの次に子音「o」が続くと、そのパッチムが次の初声として発音されます。

이것은 [이거슨]　　　저것은 [저거슨]

5 文を読む練習 🎧 0−20

(1) 박 선생님이 꽃을 들고 어딘가로 가고 있어요.

朴先生が花を持って、どこかへ向かっています。

(2) 오늘은 생선을 사러 집 앞 시장에 갔어요.

今日は魚を買いに、家の前の市場に行きました。

☆ <u>인사</u>

ペアになって韓国語で挨拶してみましょう！

🐾 0−21　A: 안녕하세요? 　　　　おはようございます／こんにちは／こんばんは。

B: 만나서 반가워요. 　　　　お会いできて嬉しいです。

잘 부탁합니다. 　　　　よろしくお願いします。

🐾 0−22　A: 안녕히 가세요. 　　　　(行く人に対して)さようなら。

B: 안녕히 계세요. 　　　　(残る人に対して)さようなら。

🐾 0−23　A: 고마워요. 　　　　ありがとうございます。

B: 아니에요. 　　　　いいえ。

🐾 0−24　A: 미안해요. 　　　　すみません／ごめんなさい。

B: 아니에요, 괜찮아요. 　　　　いいえ、大丈夫です。

🐾 0−25　♧ 잘 먹겠습니다.(食べる前) 　　　　いただきます。

♧ 잘 먹었습니다.(食べた後) 　　　　ごちそうさまでした。

♧ 안녕히 주무세요. 　　　　おやすみなさい。

♧ 잘 자. 　　　　おやすみ。

日本語のハングル表記

 01・基本的な書き方

1 日本語のハングル表記は、基本的に平音を用いて表します。ただし「カ行・タ行」は、語頭では「ㄱ / ㄷ」、語中では「ㅋ / ㅌ」を用います。

	タナカ　ハナコ	タナガ　ハナゴ
田中花子	다나카　하나코	다나가　하나고

*日本語の濁音は、語頭か語中か関係なく、いつも平音を用いて表す。

2 長音は書きません。

	サトウ　タロウ	
佐藤太郎	사토　타로	사토우　타로우

　　　　　　　　　　　　　　　↑　　　　↑
　　　　　　　　　　　　　書かなくていい

3 「っ・ん」は、パッチムとして「ㅅ / ㄴ」を用いて表します。

	ハットリ　シンヤ
服部信也	핫토리　신야

4 エ段の文字は、必ずハングルの母音字「ㅔ」用いて表します。

5 ウ段の文字は、基本的にハングルの母音字「ㅜ」用いて表します。ただし「す・つ・ず・づ」は母音字「ㅡ」を用いて「스 / 쓰 / 즈 / 즈」のように表します。

♣「つ」は原則「쓰」。ただし、名前または地名を書く場合、「츠」で書くほうが発音に近い。

練習問題1 次の日本の地名をハングルで書いてみよう。

① 大阪 ＿＿＿＿＿＿＿＿＿＿ ② 京都 ＿＿＿＿＿＿＿＿＿＿

③ 東京 ＿＿＿＿＿＿＿＿＿＿ ④ 松江 ＿＿＿＿＿＿＿＿＿＿

⑤ 村上 ＿＿＿＿＿＿＿＿＿＿ ⑥ 北海道 ＿＿＿＿＿＿＿＿＿＿

⑦ 沖縄 ＿＿＿＿＿＿＿＿＿＿ ⑧ 富士山 ＿＿＿＿＿＿＿＿＿＿

⑨ 町屋 ＿＿＿＿＿＿＿＿＿＿ ⑩ 広島 ＿＿＿＿＿＿＿＿＿＿

練習問題2 自分や友達の名前をハングルで書いてみよう。

【漢字】	【かな】	【ハングル】

【かな】	【ハングル】	
	語頭	語中・語末
あいうえお	아 이 우 에 오	
かきくけこ	가 기 구 게 고	카 키 쿠 케 코
さしすせそ	사 시 스 세 소	
たちつてと	다 지 쓰 데 도	타 치 쓰 테 토
なにぬねの	나 니 누 네 노	
はひふへほ	하 히 후 헤 호	
まみむめも	마 미 무 메 모	しゅん 슌
や ゆ よ	야 유 요	じゅん 준
らりるれろ	라 리 루 레 로	しょう 쇼
わを ん っ	와 오 ㄴ ㅅ	りょう 료
がぎぐげご	가 기 구 게 고	
ざじずぜぞ	자 지 즈 제 조	
だぢづでど	다 지 즈 데 도	
ばびぶべぼ	바 비 부 베 보	
ぱぴぷぺぽ	파 피 푸 페 포	

① ハングルの字母字で作られた絵文字

ㅜㅜ < ㅠㅠ(大変！) → 大変さの度合いはㅠㅠ の方が大きいです。

ㅇㅇ(うん)

ㅇㅋ(オーケー)

ㅋㅋ ㅎㅎ(笑い声) → 若者はㅎㅎ よりㅋㅋ をよく使う傾向があります。

② ハングルを書くコツ

ㄱ ㅋ ㄲ は縦の場合と横の場合、形がちょっと変わります。 例 고, 가

ㅊ, ㅎの場合、活字体で書かなくてもよいです。 ㅊ, ㅎのように上の一画を立てて書いた方がわかりやすいかも。

ㄹは漢字の己と違います。よく見てくださいね！

ㅂの書き順に気を付けてください。

漢字と同じくハングルにも書き順があります。一筆書きをしないように！

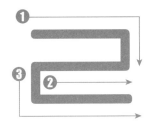 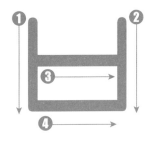

第1課 이것은 무엇입니까?

これは何ですか。

学校で

💬 set 1 🎧 1-1

A: 안녕하세요?

　저는 일본국제대학교 신입생입니다.

　미카라고 합니다.

　잘 부탁합니다.

- 自己紹介
- 助詞: 은/는, 이/가
- 이것은 ~입니다
- -이라고/라고 합니다
- 이/가 아닙니다

💬 set 2 🎧 1-2

A: 그것은 무엇입니까?

B: 이것은 학생증입니다.

A: 그것은 아이디입니까?

B: 네, 이것은 아이디입니다.

💬 set 3 🎧 1-3

A: 저것은 비밀번호입니까?

B: 아니요, 저것은 비밀번호가 아닙니다.

　학번입니다.

---

set 1

A: こんにちは。

　私は日本国際大学の

　新入生です。

　ミカと申します。

　よろしくお願いします。

set 2

A: それは何ですか。

B: これは学生証です。

A: それはIDですか。

B: はい、これはIDです。

set 3

A: あれはパスワードですか。

B: いいえ、あれはパスワード

　ではありません。

　学籍番号です。

set 1

- [ ] 저　　　　私
- [ ] 일본　　　日本
- [ ] 국제[국쩨] 国際

- [ ] 대학교[대학꾜]　大学
- [ ] 신입생[시닙쌩]　新入生

set 2

- [ ] 이것　　　これ
- [ ] 저것　　　あれ
- [ ] 그것　　　それ
- [ ] 무엇　　　何

- [ ] 학생증[학쌩쯩]　学生証
- [ ] 네　　　　はい
- [ ] 아이디　　ID

set 3

- [ ] 아뇨　　　いいえ
- [ ] 비밀번호　パスワード

- [ ] 학번　　　　学籍番号

 発音

1 鼻音化　　　　　　　　　　　　　　🎧 1-4

　終声の［p］［k］［t］に続く初声が鼻音の［n］［m］である場合、その終声が
それぞれ［m］［ŋ］［n］に変わります。

　　　　　입니다 [임니다]　　　　합니다 [함니다]

　特にフォーマルな丁寧形〈입니다, 합니다〉でよく使われています。[imnida]
[hamnida]を発音する際は、必ず口を閉じてから[nida]を発音しましょう！

② 濃音化　🎧 1-5

終声の［p］［k］［t］に続く初声が［ㅂㄷㄱㅅ］の場合、その初声はそれぞれ［ㅃ］［ㄸ］［ㄲ］［ㅆ］［ㅉ］の濃音で発音されます。

国제 [국쩨]　　　신입생 [시닙쌩]　　　학생 [학쌩]

③ 激音化　🎧 1-6

終声の［p］［k］［t］に続く初声が［ㅎ］の場合、二つの音は融合しそれぞれ［ㅍ］［ㅌ］［ㅋ］の激音で発音されます。

부탁합니다 [부타캄니다]

🎧 1-7
④ ［ㅎ］の弱化

［ㅎ］は有声音と有声音の間、例えば母音と母音の間で［ㅎ］の発音が弱くなります。

전화(電話) [전와] ➡ [저놔]

번호(番号) [버노]

좋아요(いいです) [조아요]

많아요(多いです) 　[만하요] → [만아요] ➡ [마나요]

괜찮아요(大丈夫です) [괜찬하요] → [괜찬아요] ➡ [괜차나요]

 漢字語

韓国語では漢字一字に対して読み方が1つです。（例外あり）
その発音を覚えておくと語彙を増やすのに役立ちます。

日	일	本	본	国	국	際	제
大	대	学	학	校	교	新	신
入	입	生	생	番	번	号	호

 文法レシピ

日本語の助詞「は」「が」にあたる韓国語の助詞はそれぞれ2つずつあります。使い分けは、助詞の前にある名詞にパッチムがあるかどうかによります。

	は	が
パッチムあり♥	이것은♥	학생증이♥
パッチムなし♡	저는♡	비밀번호가♡

🧧 表現

1 名詞 + 이라고/라고 합니다　〜と申します・〜と言います

パッチムあり♥　　호준이라고 합니다.
パッチムなし♡　　미카라고 합니다.

2 이것은 名詞 + 입니다　これは 〜です

① 문 (ドア)　　② 창문 (窓)　　③ 칠판 (黒板)　　④ 지우개 (消しゴム)

⑤ 책상 (机)　　⑥ 책 (本)　　⑦ 공책 (ノート)　　⑧ 의자 (椅子)

⑨ 분필 (チョーク)　⑩ 연필 (鉛筆)　⑪ 필통 (筆箱)　⑫ 휴지통 (ゴミ箱)

⑬ 벽 (壁)　　⑭ 전등 (電灯)　　⑮ 시계 (時計)　　⑯ 책장 (本棚)

⑰ 그림 (絵)

□ ①〜⑰の単語を使い、ペアになって練習しましょう！

A: 이것은 무엇입니까?
B: 그것은 ＿＿＿＿＿ 입니다.

3 名詞 + 이/가 아닙니다　〜ではありません

パッチムあり♥　　호준이 아닙니다.
パッチムなし♡　　미카가 아닙니다.
　　　　　　　　＊分かち書きに注意！

やってみよう

1 身の回りにある物を 5つ選び、ペアになって話してみましょう。

A: 이것은 무엇입니까?

B: 이것은 _____ 입니다.

A: 저것은 무엇입니까?

B: 저것은 _____ 입니다.

2 次の会話を友だちとペアになって話してみましょう。

(会話－自己紹介)

A: 안녕하세요?

　저는 ○○대학교 학생입니다. ○○○라고 합니다.

B: 잘 부탁합니다.

3-A 次の単語に続く助詞「이/가」のどちらかを選んで書きましょう。

① 문 ドア(이)　　② 창문 窓(　)　　③ 칠판 黒板(　)

④ 지우개 消しゴム(가)　⑤ 책상 机(　)　　⑥ 책 本(　)

⑦ 공책 ノート(　)　　⑧ 의자 椅子(　)　　⑨ 분필 チョーク(　)

⑩ 연필 鉛筆(　)　　⑪ 필통 筆箱(　)　　⑫ 휴지통 ゴミ箱(　)

⑬ 벽 壁(　)　　　⑭ 전등 電灯(　)　　⑮ 시계 時計(　)

⑯ 책장 本棚(　)　　⑰ 그림 絵(　)

( )の中に「이/가」どちらか選んで書いてみましょう。

① 문( ) 아닙니다.　　② 창문( ) 아닙니다.

③ 칠판( ) 아닙니다.　　④ 지우개( ) 아닙니다.

⑤ 책상( ) 아닙니다.　　⑥ 책( ) 아닙니다.

⑦ 공책( ) 아닙니다.　　⑧ 의자( ) 아닙니다.

⑨ 분필( ) 아닙니다.　　⑩ 연필( ) 아닙니다.

⑪ 필통( ) 아닙니다.　　⑫ 휴지통( ) 아닙니다.

⑬ 벽( ) 아닙니다.　　⑭ 전등( ) 아닙니다.

⑮ 시계( ) 아닙니다.　　⑯ 책장( ) 아닙니다.

⑰ 그림( ) 아닙니다.

３-C 3-Bの①～⑰の文を発音してみましょう。　🎧 1-8

아뇨, 문이 [muni] 아닙니다 ⇒ リエゾン ○

아뇨, 필통이 [pʰiltoŋi] 아닙니다 ⇒ リエゾン ×

❀ パッチムの「ㅇ」の次に母音が続くときにはリエゾンしません。

３-D ①～⑰の単語を使い、ペアになって練習しましょう。

A: 이것은 _____입니까?

B: 아뇨, 이것은 _____이/가 아닙니다. 이것은 _____입니다.

4 次の日本語を韓国語で書いてみましょう。(分かち書きとピリオドに注意)

① これは何ですか。

② あれは机です。

③ これは学生証ですか。

④ はい、パスワードです。

⑤ それはID ですか。

⑥ いいえ、それは日本国際大学ではありません。

 聞き取り

Q. 音声をよく聞いて、正解の絵の( )に V を入れてください。

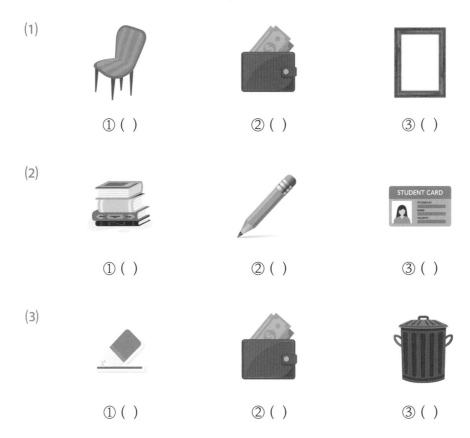

(1)

① ( )　　　② ( )　　　③ ( )

(2)

① ( )　　　② ( )　　　③ ( )

(3)

① ( )　　　② ( )　　　③ ( )

 Self check

○ よくできましたか？ ☆ ☆ ☆ ☆ ☆

 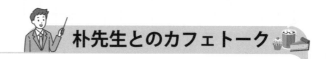

① 外国語のハングル表記

　外国語、特に英語のハングル表記は、主にアメリカ英語の発音に似ています。例えば、パスポート、パスワードの場合、패스포트, 패스워드で表記され、ディズニーランド、ピーターパンのネバーランドは디즈니랜드, 피터팬의 네버랜드で表記されます。

② 韓国語の「이것」「그것」「저것」

(1) 이것：話し手の領域に属していると思われるものを指します。

(2) 그것：聞き手の領域に属していると思われるものを指します。

(3) 저것：話し手にも聞き手にも属せず第3領域に属していると思われるものを指します。

　話し手と聞き手がいる空間にないもので、話し手も聞き手も知っているものを示すときには그것（それ）が使われています。日本語の場合は(あれ)を使いますよね！

설탕과 우유는 어디에 있어요?

砂糖と牛乳はどこにありますか。

カフェで

● set 1 🎧 2-1

A: 저… 커피 하나 주세요.

B: 여기 있습니다.

A: 참, 팥빙수도 하나 주세요.

● 注文する
● 数字①固有数詞
● 数字②漢数詞
● 助詞：도, 과/와, 에
● 합니다体
● 存在詞(있다/없다)の用法
● 位置

● set 2 🎧 2-2

A: 설탕과 우유는 어디에 있어요?

B: 테이블 위에 있어요.

● set 3 🎧 2-3

A: 얼마예요?

B: 칠천 원이에요. 쿠폰 있어요?

A: 아뇨, 쿠폰 없어요.

---

set 1

A: あの、コーヒー1つください。
B: どうぞ。
A: あ、そうだ。パッピンスも
　　1つください。

set 2

A: 砂糖と牛乳はどこにあり
　　ますか。
B: テーブルの上にあります。

set 3

A: いくらですか。
B: 7千ウォンです。クーポン
　　ありますか。
A: いいえ、クーポンはありま
　　せん。

set 1

- 저 　　あの
- 커피 　　コーヒー
- 하나 　　1つ
- 주다 　　あげる、くれる
- 여기 　　ここ

　　* 거기 そこ　　　　저기 あそこ

- 있다 　　いる、ある
- 참 　　あ、そうだ。
- 팥빙수 　　パッピンス
　　* 팥(小豆) + 빙수(かき氷)
- 도 　　〜も

set 2

- 설탕 　　砂糖
- 과/와 　　〜と
- 우유 　　牛乳
- 에 　　〜に

- 테이블 　　テーブル
- 위 　　上
　　* 아래 　　下
- 어디 　　どこ

set 3

- 얼마 　　いくら
- 칠 　　七
- 천 　　千

- 원 　　ウォン
- 쿠폰 　　クーポン
- 없다 　　いない、ない

▌ 数字①固有数詞　　🎧 2-4

1つ	2つ	3つ	4つ	5つ	6つ	7つ	8つ	9つ	10
하나	둘	셋	넷	다섯	여섯	일곱	여덟	아홉	열

▌ 数字②漢数詞　　🎧 2-5

一	二	三	四	五	六	七	八	九	十
일	이	삼	사	오	육	칠	팔	구	십

❀ 百백　千천　万만　億억

　백 원　오백 원　천 원　오천 원

　만 원　오만 원

❀ 一万ウォンの場合、一万 円ではなく
　万 円と言います！

3 位置

위 (上)	아래 (下)	
앞 (前)	뒤 (後ろ)	옆 (横)
안 (中)	밖 (外)	

 発音

数字 6 の発音練習　　　　　　　　　　　　　　🎧 2-6

육백 원 [육빼권]　육천 원 [육처눤]　육만 원 [융마눤]　천육백 원 [천뉵빼권]

 文法レシピ

1 助詞の「과/와」：～と

日本語の助詞「と」にあたる韓国語の助詞は「과/와」です。

使い分けは、助詞の前にある名詞にパッチムがあるかどうかによります。

	パッチム	
と	あり♥	설탕과♥
	なし♡	우유와♡

2 助詞の「에」：～に

日本語の助詞「に」にあたる韓国語の助詞は「에」です。
助詞の前にある名詞のパッチムのチェックはありません。

> 例　　쿠션은 의자 위에 있어요. 설탕은 컵 안에 있어요.

3 「합니다」体：動・形＋습니다/ㅂ니다 (～ます、～です)

> 例　　있다(ある・いる)　　있 + 습니다 → 있습니다　　있습니까?
>
> 　　　가다(行く)　　　　가 + ㅂ니다 → 갑니다　　　갑니까?
>
> 　　　*놀다(遊ぶ)　　　　놀 + ㅂ니다 → 놉니다 놉니까?
>
> 　　　(パッチムㄹの脱落)

	平叙文	疑問文
パッチムあり♥	♥습니다	♥습니까?
パッチムなし♡	♡ㅂ니다	♡ㅂ니까?
パッチム ㄹ *	ㅂ니다	ㅂ니까?

4 名詞＋이에요/예요：～です (입니다のカジュアルな形式)

> 例　　A: 얼마예요?
>
> 　　　B: 칠천 원이에요.

	平叙文	疑問文
パッチムあり♥	♥이에요	♥이에요?
パッチムなし♡	♡예요	♡예요?

1 있다(ある・いる)　vs　없다(ない・いない)

・韓国語には日本語のような「いる」「ある」の区別がありません。

A: 학생증 있어요?	B: 아니요, 없어요.
(学生証ありますか)	(いいえ、ありません)
A: 고양이 있어요?	B: 아니요, 없어요.
(猫がいますか)	(いいえ、いません)

やってみよう

1 ゼスチャーしながら覚えてみましょう。

① 일어나다
(起きる)

② 씻다
(洗う)

③ 입다
(着る)

④ 열다
(開ける)

⑤ 닫다
(閉める)

⑥ 만들다
(作る)

⑦ 먹다
(食べる)

⑧ 마시다
(飲む)

⑨ 뛰다
(走る)

⑩ 걷다
(歩く)

⑪ 앉다
(座る)

⑫ 서다
(立つ)

⑬ 노래하다
(歌う)

⑭ 춤추다
(踊る)

⑮ 보다
(見る)

⑯ 웃다
(笑う)

⑰ 울다
(泣く)

⑱ 듣다
(聞く)

⑲ 읽다
(読む)

⑳ 쓰다
(書く)

㉑ 켜다
(電気をつける)

㉒ 끄다
(電気を消す)

㉓ 목욕하다
(お風呂に入る)

㉔ 벗다
(脱ぐ)

㉕ 자다
(寝る)

2 次の例のように書いてみましょう。

		パッチム	합니다体の平叙文	합니다体の疑問文
(1)	일어나다 (起きる)	×	일어납니다	일어납니까?
(2)	씻다 (洗う)	○	씻습니다	씻습니까?
(3)	입다 (着る)	○	입습니다	입습니까?
(4)	열다 (開ける)	○ㄹ	엽니다	엽니까?
(5)	닫다 (閉める)			
(6)	만들다 (作る)			

(7)	먹다 (食べる)			
(8)	마시다 (飲む)			
(9)	뛰다 (走る)			
(10)	걷다 (歩く)			
(11)	앉다 (座る)			
(12)	서다 (立つ)			
(13)	노래하다 (歌う)			
(14)	춤추다 (踊る)			
(15)	보다 (見る)			
(16)	웃다 (笑う)			
(17)	울다 (泣く)			
(18)	듣다 (聞く)			
(19)	읽다 (読む)			
(20)	쓰다 (書く)			
(21)	켜다 (つける)			
(22)	끄다 (消す)			
(23)	목욕하다 (お風呂に入る)			
(24)	벗다 (脱ぐ)			
(25)	자다 (寝る)			

3 次の絵をみてペアで練習しましょう。(下の①～⑥の単語を使うこと)

예   A: 쿠션은 어디에 있어요?   ① 위 (上)   ② 아래 (下)   ③ 옆 (橫)
     B: 쿠션은 소파 위에 있어요.   ④ 앞 (前)   ⑤ 뒤 (後ろ)   ⑥ 안 (中)

* 쿠션 : クッション   소파 : ソファー   꽃병 : 花瓶   컵 : コップ   커텐 : カーテン

카페트 : カーペット   고양이 : ねこ

4 次のメニューを見て友だちとペアになって練習しましょう。

예   A : 아메리카노는 얼마예요?
     B : 아메리카노는 사천오백 원이에요.

5 値段をつけて、練習しましょう。

(日本のお金「円」は韓国語で「엔」と言います。)

```
┌─────────────────────────────────────┐
│  ☕        〈메뉴〉           🍨      │
│                                       │
│  아이스크림      _ _ 30 _ _ _ _ 엔   │
│                                       │
│  녹차           _ _ _ _ _ _ _ 엔     │
│                                       │
│  햄버거          _ _ _ _ _ _ _ 엔    │
│                                       │
│  홍차           _ _ _ _ _ _ _ 엔     │
└─────────────────────────────────────┘
```

A: <u>아이스크림</u>은/는 얼마예요?

B: <u>아이스크림</u>은/는 <u>삼백</u> 엔이에요.

* 아이스크림 : アイスクリーム   녹차 : 緑茶   햄버거 : ハンバーガー

   홍차 : 紅茶   카레 : カレー

6 次の日本語を韓国語に変えて、友だちと話しましょう。

〈注文〉

A: 人参ジュースありますか？ _____

B: いいえ、ありません。 _____

〈お誘い〉

A: 時間ありますか？ _____

B: はい、あります！♡ _____

〈趣味〉

A: ペットがいますか？ _____

B: はい、います。 _____

A: 猫ですか？ _____

B: いいえ、犬がいます。 _____

* 당근 : 人参　　시간 : 時間　　반려동물 : ペット　　강아지 : 犬

★ 무지개색의 명칭(虹色の名称) ★

빨간색(赤色)

주황색(オレンジ色)

보라색(紫色)

남색(藍色)

노란색(黄色)

파란색(青色)

초록색(緑色)

 聞き取り

🎧 2-7

Q1. 音声をよく聞いて、(　　　)の中に数字を書いてみましょう。

(　　)

(　　)

(　　)

(　　)

Q2. 音声をよく聞いて、絵Aに絵Bの位置を書き入れてください。 🎧 2-8

絵A

絵B

① ② ③

 Self check

○ よくできましたか？ ☆☆☆☆☆

① 하나 둘 셋 !

韓国語	日本語
하나 둘 셋 !	せ〜の！

하나 둘 셋 찰칵   はい チーズ！
(シャッターの音)

② 人参って何？

　韓国語では「人参」を漢字そのままで読むと〈인삼〉になり、高麗人参を意味します。韓国語で carrot のニンジンは〈당근〉です。

인삼 　　　　　　　　　　　　당근

③ 砂糖はどこにありますか？ － 韓国語編：雪糖

　韓国語で砂糖は〈사탕〉ではなく〈설탕(雪糖)〉と呼ばれています。〈사탕〉はキャンディーという意味なので、カフェに行って〈사탕 어디에 있어요?〉と聞くと「ないです」と言われてしまいます。なぜなら、「キャンディーどこにありますか？」という意味だからです。カフェで砂糖が必要な時には〈설탕(雪糖) 어디에 있어요?〉と聞いてくださいね！

第3課 빵을 몇 개 사요?
パンを何個買いますか。

パン屋さんで

● set 1 🎧 3-1

A: 어디에 가요?

B: 빵집에 가요.

A: 빵집에서 무엇을 사요?

B: 카레빵을 사요.

- 前置否定：안
- 場所のことば
- 固有数詞
- 単位名詞(助数詞)
- 을/를 좋아하다

● set 2 🎧 3-2

A: 카레빵을 몇 개 사요?

B: 한 개 사요.

A: 카레빵을 좋아해요?

B: 네, 아주 좋아해요.

● set 3 🎧 3-3

A: 멜론빵도 있어요. 멜론빵은 안 사요?

B: 네, 멜론빵은 안 먹어요. 너무 달아요.

---

set 1

A: どこへ行きますか。

B: パン屋さんへ行きます。

A: パン屋さんで何を買いますか。

B: カレーパンを買います。

set 2

A: カレーパンを何個買いますか。

B: 一個買います。

A: カレーパンが好きですか。

B: はい、とても好きです。

set 3

A: メロンパンもあります。メロンパンは買わないのですか。

B: はい、メロンパンは食べないです。甘すぎます。

set 1

- [ ] 빵집 　　パン屋
- [ ] 에서 　　〜で
- [ ] 을/를 　　〜を
- [ ] 사다 　　買う

set 2

- [ ] 몇 　　何(数字)
- [ ] 개 　　個
- [ ] 한 　　約、およそ
- [ ] 좋아하다 　好きだ
- [ ] 아주 　　とても

set 3

- [ ] 멜론 　　メロン
- [ ] 안 　　否定形
- [ ] 너무 　　あまりにも、とても
- [ ] 달다 　　甘い

1 固有数詞

後ろに助数詞が続くときに使います。その際、形が変化するので注意！

	一	二	三	四	五	六	七	八	九	十	二十
固有	한	두	세	네	다섯	여섯	일곱	여덟	아홉	열	스무

① 한 사람 / 분 (1人／名)　　② 강아지 두 마리 (犬2匹)

③ 스무 살 (20 歳)　　④ 지우개 세 개 (消しゴム3個)

⑤ 자전거 네 대 (自転車 4 台)　　⑥ 책 다섯 권 (本 5 冊)

⑦ 표 여섯 장 (チケット 6 枚)　　⑧ 맥주 일곱 병 (ビール 7 本)

⑨ 와인 여덟 잔 (ワイン 8 杯)　　⑩ 밥 아홉 그릇 (ごはん 9 杯)

⑪ 장미꽃 열 송이 (バラの花10輪)

*개(個)は最も幅広く使えます！

文法レシピ

1 助詞：을/를(〜を)

日本語の助詞「を」にあたる韓国語の助詞としては「을/를」があります。
使い分けは、助詞の前にある名詞にパッチムがあるかどうかによります。

	を
パッチムあり♥	멜론을♥
パッチムなし♡	카레를♡

2 助詞：에서(〜で)

日本語で動作が行われる場所を表す助詞「で」にあたる韓国語の助詞は「에서」
です。助詞の前にある名詞のパッチム チェックは一切なし！

빵집에서 멜론빵을 사요.
카페에서 공부를 해요.

3 カジュアルな丁寧形「해요体」

パッチムの有無ではなく、基本形の語尾「다」のすぐ前の母音の確認から始
めます。

【作り方】

❶「하다」で終わる動詞や形容詞はすべて「여요」がつき、最終的には「해요」
に変えます。

요리하다 → 요리하여요 → **해요**
좋아하다 → 좋아하여요 → **좋아해요**

❷ 基本形の「다」のすぐ前の母音が「ㅏ, ㅗ, ㅑ」の場合、「아요」をつけます。

　　　사다 → 사＋아요 → **사요**　　　달다 → 달＋아요 → **달아요**

　ㅏ＋아요の場合、縮約します。　　　　　　　　　　가다 → 가＋아요 → **가요**
　ㅗ＋아요の場合、2つを合わせて〈ㅘ〉になります。　보다 → 보＋아요 → **봐요**

❸ ①②に該当しない場合はすべて「어요」をつけます。

　　　먹다 → 먹＋어요 → **먹어요**
　　　마시다 → 마시＋어요 → **마셔요**
　　　춤추다 → 춤추＋어요 → **춤춰요**

　ㅣ＋어요の場合、2つを合わせて〈ㅕ〉になります。　　빌리다 → **빌려요**
　ㅜ＋어요の場合、2つを合わせて〈ㅝ〉になります。　　주다 → **줘요**

🌸 発音のコツ：同じ形でも文脈やイントネーションの違いによって、平叙文、
　　　　　　　疑問文、勧誘文、命令文になります。

🎧 3-4
자요 ➡ 寝ます　　자요？ ↗寝ますか？　　자요〰 寝ましょう　　자요！ ↘寝てください！

4 「안」否定形(前置否定)：〜ない、〜くない

＊「안否定形」とも呼ばれます。

【作り方】

❶ 動詞や形容詞の前に「안」をつければ、その動詞や形容詞は否定形になります。その際、必ず分かち書きをしましょう。

　　사요 (買います) → 안 사요 (買わないです)

　　달아요 (甘いです) → 안 달아요 (甘くないです)

❷「名詞(＋을/를)＋하다」の場合は ➡ 名詞(을/를) 안 하다

　　숙제해요 (宿題します) → 숙제(를) 안 해요 (宿題しないです)

注意　「名詞＋하다」の中でも「名詞＋을/를＋하다」に戻せない場合の안否定形は、❶と同じです。

　　좋아해요 (好きです) → 안 좋아해요 (好きではないです)

🪙 表現

🌸 名詞＋을/를 좋아해요　〜が好きです

　日本語の「〜が好きです」という表現は、韓国語で「〜を好む」のような「을/를 좋아해요」が使われます。

例　멜론을 좋아해요. (メロンが好きです)
　　사과를 좋아해요. (リンゴが好きです)　　＊사과：リンゴ

 やってみよう

1 次の例のように書いてみましょう。

		語幹(母音)の チェック	어요/아요/ 여요	縮約の 有無	해요 体の平叙文
(1)	먹다 (食べる)	어	어요	○	먹어요
(2)	가르치다 (教える)	이	어요	×	가르쳐요
(3)	받다 (もらう)	아	아요	○	받아요
(4)	오다 (来る)	오	아요	×	와요
(5)	공부하다 (勉強する)	하	여요	○	공부해요
(6)	만들다 (作る)				
(7)	자다 (寝る)				
(8)	마시다 (飲む)				
(9)	뛰다 (走る)				
(10)	빌리다 (借りる)				
(11)	앉다 (座る)				
(12)	서다 (立つ)				
(13)	노래하다 (歌う)				
(14)	춤추다 (踊る)				
(15)	보다 (見る)				
(16)	웃다 (笑う)				
(17)	울다 (泣く)				
(18)	켜다 (つける)				
(19)	읽다 (読む)				
(20)	벗다 (脱ぐ)				

2 次の例のように安否定形で書いてみましょう。

		名詞 + 하다チェック	안否定形の해요体
(1)	공부하다 (勉強する)	공부(勉強) + 하다	공부(를) 안 해요
(2)	가르치다 (教える)	×	안 가르쳐요
(3)	오다 (来る)		
(4)	운동하다 (運動する)		
(5)	받다 (もらう)		
(6)	팔다 (売る)		
(7)	자다 (寝る)		
(8)	마시다 (飲む)		
(9)	뛰다 (走る)		
(10)	목욕하다 (風呂に入る)		
(11)	빌리다 (借りる)		
(12)	앉다 (座る)		
(13)	노래하다 (歌う)		
(14)	샤워하다 (シャワーする)		
(15)	보다 (見る)		
(16)	웃다 (笑う)		
(17)	울다 (泣く)		
(18)	숙제하다 (宿題する)		
(19)	읽다 (読む)		
(20)	쉬다 (休む)		

3 次の①～⑧の単語を使い、ペアになって会話の練習をしてみましょう。

> A: 어디에 가요?
>
> B: ＿＿＿＿＿＿＿＿＿에 가요.

① 도서관

(図書館)

② 식당

(食堂)

③ 교실

(教室)

④ 편의점

(コンビニ)

⑤ 역

(駅)

⑥ 화장실

(トイレ)

⑦ 빵집

(パン屋)

⑧ 공원

(公園)

4 上の①～⑧の単語を使い、例のように会話を作ってみましょう。

例
> A: 도서관에서 뭐 해요?
>
> B: 도서관에서 책을 빌려요.　　図書館で本を借りています。

＊韓国語では普通の現在形が進行形として使われたりもします。

5 例のように友だちと質問したり答えたりしてみましょう。

例

A: 아이스크림을 좋아해요?　　　　A: アイスクリームが好きですか。

B: 네, 아주 좋아해요.　　　　　　B: はい、とても好きです。

A: 영화를 좋아해요?　　　　　　　A: 映画が好きですか。

B: 아니요, 영화는 안 좋아해요.　　B: いいえ、映画は好きじゃありません。

친구 이름	여행	운동	영화	김치	비	아이스크림
김 선생님	○	×	×	×	○	○
박 선생님	×	○	○	○	○	×

 聞き取り　　　　　　　　　　🎧 3-5

Q. 音声を聞いて、ミカさんの好きなものに○を、嫌いなものに×をつけてください。

① カレー	② メロンパン	③ ピザ	④ コーヒー	⑤ 緑茶

Self check

○ よくできましたか？　☆☆☆☆☆

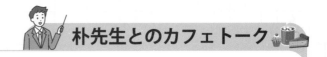

① 味覚

맛있다！[마딛따/마싣따] (おいしい → 味がある！)

맛없다！[마덥따] (おいしくない → 味がない！)

맛있다の否定形は안 맛있다ではなく、있다の反対語である없다を使います。

달다 甘い　　짜다 しょっぱい　　시다 酸っぱい　　맵다 辛い　　쓰다 苦い

② 아주と너무

〈아주〉と〈너무〉は日本語に訳すと「とても」になりますが、英語で区別すると〈아주〉は「very」、〈너무〉は「too」になります。〈아주 예쁘다〉と〈너무 예쁘다〉の場合、「とても可愛い」と「あまりにも可愛すぎる」という意味になります。一方、〈너무해!〉の意味は「あまりにもひどい！」です。^^

고등학교 때 무슨 동아리를 했어요?

高校時代、何のサークルに入りましたか？

電車で

● set 1 🎧 4-1

A: 고등학교 때 무슨 동아리를 했어요?

B: 배구를 했어요.

A: 지금도 대학교에서 배구를 해요?

B: 아뇨, 지금은 하지 않아요.

● set 2 🎧 4-2

A: 지금 무슨 아르바이트를 해요?

B: 백화점에서 케이크를 팔아요.

A: 무슨 요일에 아르바이트를 해요?

B: 토요일 오후 두 시부터 다섯 시까지 해요.
처음에는 아주 힘들었어요.

● set 3 🎧 4-3

A: 집에서 학교까지 멀어요?

B: 네, 보통 한 시간 삼십 분 정도 걸려요.

A: 백화점은 집에서 멀어요?

B: 아뇨, 멀지 않아요. 자전거로 십 분 정도 걸려요.

時間表現	
後置否定形：-지 않다	
해요体の過去形	
助詞：에서/부터～까지	
에는	
으로/로	
曜日と月を表す語彙	

---

set 1

A: 高校時代、何のサークルに入りましたか。

B: バレーボールをしました。

A: 今も大学でバレーボールをしますか。

B: いいえ、今はしないです。

set 2

A: 今、何のアルバイトをしていますか。

B: デパートでケーキを売っています。

A: 何曜日にアルバイトをしますか。

B: 土曜日の午後 2 時から 5 時までしています。
初めはとても大変でした。

set 3

A: 自宅から学校まで遠いですか。

B: はい、普通一時間三十分ぐらいかかります

A: デパートは自宅から遠いですか。

B: いいえ、遠くないです。自転車で十分ぐらいです。

set 1

☐	고등학교	高等学校	☐	동아리	サークル
☐	때	時	☐	배구	バレーボール
☐	무슨	何の	☐	지금	今

set 2

☐	아르바이트	アルバイト	☐	시	時
☐	백화점	デパート、百貨店	☐	부터	(数量)～から
☐	케이크	ケーキ	☐	까지	まで
☐	요일	曜日	☐	처음	初めて
☐	토요일	土曜日	☐	에는	～には
☐	오후	午後	☐	힘들다	大変だ

set 3

☐	집	家、自宅	☐	분	分
☐	에서	(場所)～から	☐	정도	程度、くらい
☐	멀다	遠い	☐	걸리다	かかる
☐	보통	普通	☐	자전거	自転車
☐	시간	時間	☐	으로/로	～で

曜日を表すことば 🎧 4-4

月曜日	火曜日	水曜日	木曜日	金曜日	土曜日	日曜日
월요일	화요일	수요일	목요일	금요일	토요일	일요일
[워료일]	[화요일]	[수요일]	[모교일]	[그묘일]	[토요일]	[이료일]

月を表すことば 🎧 4-5

1月	2月	3月	4月	5月	6月	7月	8月	9月	10月	11月	12月
일월	이월	삼월	사월	오월	유월	칠월	팔월	구월	시월	십일월	십이월

＊6月と10月の書き方と読み方に注意！

 文法レシピ

1 助詞

❶ 에서/부터~까지

から	まで
空間的起点	
에서	
	까지
時間的・順序的起点	
부터	

　日本語の助詞「から」を韓国語で表現する際、動作の起点となる場所を表す場合は「에서」で、動作の時間的・順序的起点を表す場合は「부터」を使います。

例　　・집에서 학교까지　　　　　家から学校まで
　　　・여섯 시부터 여덟 시까지　　6時から8時まで

❷ 으로/로

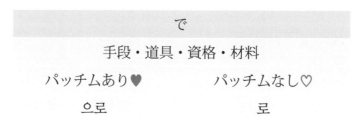

で	
手段・道具・資格・材料	
パッチムあり♥	パッチムなし♡
으로	로

　日本語の助詞「で」は様々な意味を表すことができるように、それにあたる韓国語の助詞「으로/로」があります。

例　　・자전거로 학교에 와요.　　　【手段】自転車で学校に来ます。
　　　・숟가락으로 밥을 먹어요.　　　【道具】スプーンでご飯を食べます。
　　　・교환학생으로 한국에 가요.　　【資格】交換留学生で韓国に行きました。
　　　・우유로 치즈를 만들어요.　　　【材料】牛乳でチーズを作ります。

２ 「해요体」の過去形

「해요体」が完璧にできるようになると、過去形も簡単に作れますよ！

「해요体」から過去形の作り方

❶ まず「해요体」を作り、それを分解します。

좋아해요 → 좋아해 　요

❷ そして「좋아해」と「요」の間に「ㅆ어」を入れます。

좋아해 ㅆ어요 → 좋아했어요

基本形	「해요体」の現在形	「해요体」の過去形
팔다 (売る)	팔아요 (売ります)	팔았어요 (売りました)
힘들다 (大変だ)	힘들어요 (大変です)	힘들었어요 (大変でした)
걸리다 (かかる)	걸려요 (かかります)	걸렸어요 (かかりました)

３ 動・形＋지 않아요 : 後置否定形 〜ない、〜くない(現在)

基本形の「다」を取り、「지 않아요」をつければ現在の否定形になります。
分かち書きに注意しましょう！

基本形	「해요体」の否定形(現在)
팔다 (売る)	팔지 않아요 (売りません)
힘들다 (大変だ)	힘들지 않아요 (大変じゃありません)
걸리다 (かかる)	걸리지 않아요 (かかりません)

4 動・形＋지 않았어요 : 後置否定形 〜なかった、〜くなかった(過去)

基本形の「다」を取り、「지 않았어요」をつければ過去の否定形になります。
分かち書きに注意しましょう！

基本形	「해요体」の否定形(過去)
팔다 (売る)	팔지 않았어요 (売りませんでした)
힘들다 (大変だ)	힘들지 않았어요 (大変じゃありませんでした)
걸리다 (かかる)	걸리지 않았어요 (かかりませんでした)

♥ 前置否定の「안否定」の過去形は、過去形の前に「안」をつければ完成！

やってみよう

1 次の単語を〈해요体〉否定形の現在形と過去形に変えましょう。

① 살다 (暮らす)　② 시작하다 (始まる)　③ 일하다 (働く)　④ 쉬다 (休む)
⑤ 끝나다 (終わる)　⑥ 다니다 (通う)　⑦ 싫어하다 (嫌がる)　⑧ 좋다 (良い)
⑨ 싫다 (嫌だ)　⑩ 그만두다 (やめる)

基本形	後置否定形 (現在)	後置否定形 (過去)	前置否定形 (過去)
① 살다 (暮らす)			
② 시작하다 (始まる)			
③ 일하다 (働く)			
④ 쉬다 (休む)			
⑤ 끝나다 (終わる)			
⑥ 다니다 (通う)			
⑦ 싫어하다 (嫌がる)			
⑧ 좋다 (いい)			
⑨ 싫다 (嫌だ)			
⑩ 그만두다 (やめる)			

2 好き嫌いアンケート：友だち3人に聞いてみましょう。

질문 ＼ 친구 이름			
1. 고등학교 때 무슨 과목을 좋아했어요?			
2. 초등학교 때 무슨 운동을 좋아했어요?			
3. 중학교 때 무슨 과일을 좋아했어요?			
4. 유치원 때 무슨 야채를 싫어했어요?			
5. 지금 무슨 아르바이트를 해요?			

* 초등학교 : 小学校　　　　　중학교 : 中学校　　　　　유치원 : 幼稚園

　과목 : 科目　　　　　　　과일 : 果物　　　　　　야채 : 野菜

　친구 : 友だち　　　　　　이름 : 名前　　　　　　질문 : 質問

3 次の単語を使って、自分の一日について書きましょう。

　　　① 아침 (朝)　　　② 오전 (午前)　　　③ 점심 (昼)

　　　④오후 (午後)　　　⑤ 저녁 (夕方)　　　⑥ 밤 (夜)

[例]　저는 아침 일곱 시에 일어나요.

_____

_____

_____

_____

_____

4 友達に聞いてみましょう。

① 오늘은 몇 월 며칠이에요?

② 무슨 요일을 좋아해요? / 싫어해요?

③ 몇 시에 일어나요? / 자요?

④ 시험이 몇 월 며칠에 있어요?

＊몇 월：何月　　며칠：何日　　시험：試験

5 携帯のカレンダーに韓国語でスケジュールを入れてみましょう。

6 例のように韓国語で書いてみましょう！

서울 → 부산(KTX): 2 時間 40 分ぐらい

例 A: 서울에서 부산까지 KTX로 얼마나 걸려요?
B: 두 시간 사십 분 정도 걸려요.

	所要時間
① 집 → 학교(자전거)	6 分ぐらい
② 도쿄 → 오사카(신칸센)	2 時間 30 分ぐらい
③ 도쿄 → 홋카이도(비행기)	1 時間 35 分ぐらい
④ 후쿠오카 → 부산(배)	3 時間 15 分ぐらい
⑤ 하네다공항 → 집(리무진버스)	55 分ぐらい

* 얼마나：どれくらい　　신칸센：新幹線　　비행기：飛行機　　배：船　　공항：空港

 聞き取り

🎧 4-6

Q. 音声を聞いて、正しい時間を時計の中に書いてみましょう。

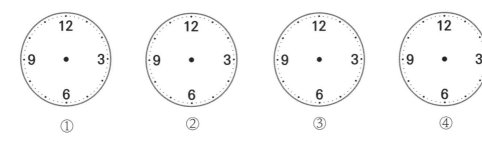

① ② ③ ④

 Self check

○ よくできましたか？　☆☆☆☆☆

어제 무엇을 하셨어요?

昨日、何をなさいましたか？

教室で

💬 set 1　🎧 5-1

A: 어제 무엇을 하셨어요?

B: 친구하고 같이 한국 음식을 먹고 노래방에서
　　노래를 불렀어요.

A: 무슨 음식을 드셨어요?

B: 삼겹살하고 떡볶이를 먹었어요.

A: 한국 노래를 잘하세요?

B: 잘하지는 않지만 좋아해요.

● 敬語表現
● 比較表現
● 助詞 : 하고, 보다
● 順接 : -고
● 逆接 : -지만
● 願望 : -고 싶다

💬 set 2　🎧 5-2

A: 오늘 오후에 디즈니랜드에 가요.

B: 디즈니랜드에서 뭐 하고 싶으세요?

A: 놀이기구를 타고 기념품도 사고 싶어요.

B: 저도 같이 가고 싶어요. 저는 사진을 많이
　　찍고 싶어요!

A: 그럼 같이 가요!

💬 set 3　🎧 5-3

B: 왜 주말에 안 가고 평일에 가세요?

A: 평일 오후 입장료가 주말보다 더 싸요.

B: 얼마 정도 싸요?

A: 주말보다 500엔 정도 싸요.

B: 저는 빨리 미키하고 미니를 만나고 싶어요.

set 1

A: 昨日、何をなさいましたか。

B: 友だちと一緒に韓国料理を
食べて、カラオケで歌を歌
いました。

A: 何の料理を召し上がりまし
たか。

B: サムギョプサルとトッポキ
を食べました。

A: 韓国の歌がお上手ですか?

B: 上手ではありませんが、好
きです。

set 2

A: 今日の午後にディズニー
ランドに行きます。

B: ディズニーランドで何を
したいですか。

A: 乗り物に乗ってお土産も
たくさん買いたいです。

B: 私も一緒に行きたいです。
私は写真をたくさん撮り
たいです！

A: それでは一緒に行きましょ
う!

set 3

B: なぜ週末に行かないで平日
に行くのですか。

A: 平日午後の入場料が週末よ
りもっと安いです。

B: いくらぐらい安いですか。

A: 週末より500円ぐらい安い
です。

B: 私は早くミッキーとミニー
に会いたいです。

set 1

□	어제	昨日	□	노래방	カラオケ
□	친구	友達	□	드시다	召し上がる
□	하고	〜と	□	삼겹살	サムギョプサル
□	같이	一緒に	□	떡볶이	トッポキ
□	한국	韓国	□	잘하다	上手だ
□	음식	食べ物 (直訳 : 飲食)			

set 2

□	디즈니랜드	ディズニーランド	□	사진	写真
□	놀이기구	乗り物	□	찍다	撮る
□	을/를 타다	〜に乗る	□	그림	それでは
□	기념품	お土産			

set 3

☐	왜	なぜ	☐ 싸다	安い
☐	주말	週末	☐ 엔	円
☐	평일	平日	☐ 빨리	早く
☐	입장료	入場料	☐ 미키	ミッキー
☐	보다	より	☐ 미니	ミニー
☐	더	もっと	☐ 을/를 만나다	〜に会う

 文法レシピ

1 助詞：하고, 도, 보다

先行名詞にパッチムの有無をチェックする必要はありません。

と	も	より
하고	도	보다

例 미키하고 미니　　　　　　　ミッキーとミニー
　　삼겹살하고 떡볶이　　　　　サムギョプサルとトッポキ

　　친구도 같이 가요.　　　　　友達も一緒に行きます。
　　나도 가고 싶어요.　　　　　私も行きたいです。

　　주말보다 평일이 싸요.　　　週末より平日が安いです。
　　미키보다 키티를 좋아해요.　ミッキーよりキティが好きです。

2 敬語－現在形

動詞や形容詞の基本形「다」の前のパッチムチェック！

	フォーマル 現在	カジュアル 現在	基本形	フォーマル 現在	カジュアル 現在
パッチム あり♥	으십니다	으세요	읽다♥	읽으십니다	읽으세요
パッチム なし♡	십니다	세요	가다♡	가십니다	가세요
パッチム ㄹ *	십니다	세요	만들다 ㄹ *	만드십니다	만드세요

3 敬語－過去形

動詞や形容詞の基本形「다」の前のパッチムチェック！

	フォーマル 過去	カジュアル 過去	基本形	フォーマル 過去	カジュアル 過去
パッチム あり♥	으셨습니다	으셨어요	읽다♥	읽으셨습니다	읽으셨어요
パッチム なし♡	셨습니다	셨어요	가다♡	가셨습니다	가셨어요
パッチム ㄹ *	셨습니다	셨어요	만들다 ㄹ *	만드셨습니다	만드셨어요

【次の単語は、別の敬語があります。】

	敬語	カジュアル		フォーマル	
먹다 (食べる)	드시다	드세요	드셨어요	드십니다	드셨습니다
마시다 (飲む)	드시다	드세요	드셨어요	드십니다	드셨습니다
있다 (いる)	계시다	계세요	계셨어요	계십니다	계셨습니다
없다 (いない)	안 계시다	안 계세요	안 계셨어요	안 계십니다	안 계셨습니다
자다 (寝る)	주무시다	주무세요	주무셨어요	주무십니다	주무셨습니다

4 **動・形＋고 (〜して) 順接**

基本形から「다」を取り、「고」をくっつければ「〜して」になります。

밥을 먹고 친구하고 놀았어요.　　　ご飯を食べて、友達と遊びました。

5 **動・形＋지만 (〜けど) 逆接**

基本形から「다」を取り、「지만」をくっつければ「〜けど」になります。

강아지를 좋아하지만 기르지 않아요.　　犬が好きですが、飼っていません。

* 기르다 : 飼う

表現

1 動詞＋고 싶다 〜したい (願望)

기념품을 사고 싶어요.　　　　　　お土産を買いたいです。

2 名詞＋보다 〜より

입장료는 주말보다 평일이 싸요.　　入場料は、週末より平日が安いです。

3 名詞＋을/를 만나다 〜に会う ／ 名詞＋을/를 타다 〜に乗る

미카 씨를 만나고 싶어요.　　롤러코스터를 타고 싶어요.
ミカさんに会いたいです。　　ローラーコースターに乗りたいです。

日本語では「〜に会う」ですが、韓国語では「을/를 만나다：〜を会う」になります。また、「〜に乗る」も韓国語では「을/를 타다：〜を乗る」になります。

 やってみよう

1 次の単語を敬語の現在形と過去形(フォーマルとカジュアル)に変えてみましょう。

基本形	フォーマル現在	カジュアル現在	フォーマル過去	カジュアル過去
① 일하다				
② 찍다				
③ 끝나다				
④ 다니다				
⑤ 살다				
⑥ 있다				
⑦ 없다				
⑧ 타다				

2 次の絵を見て、「-고」を使い、文を作りましょう。

例
 　　　먹고 마셔요.

① 　　②

③ 　　④

3 例のように「−지만」を使って一つの文を作ってみましょう。

> 例　(나는 운동을 좋아하다 / 친구는 영화를 좋아하다)
> → 나는 운동을 좋아하지만 친구는 영화는 좋아해요.

① 딸기는 맛있다 / 수박은 맛이 없다

_____

② 어제는 비가 오다 / 오늘은 날씨가 좋다　　＊過去形に注意！

_____

③ 엄마는 요리를 잘 하다 / 나는 요리를 안 해요.

_____

＊딸기：イチゴ　　수박：スイカ　　날씨：天気　　잘：よく

4 今、自分がやりたいことを3つ書いてみましょう。

① _____

② _____

③ _____

5 例のように話してみましょう。

> 例　디즈니랜드에 가고 싶지만 입장료가 비싸요.

① 컴퓨터를 사고 싶다 / 비싸다

② 영화를 보고 싶다 / 숙제가 많다

③ 사진을 찍고 싶다 / 카메라가 없다

④ USJ에 가다 / 너무 멀다

⑤ (　　　　　　　) / (　　　　　　　)

6️⃣ 例のように友達と短い会話をしてみましょう。

> 例 삼격살 (サムギョプサル) / 떡볶이 (トッポギ) / 좋아하다 (好きだ)
> A: 삼겹살을 좋아하세요? 떡볶이를 좋아하세요?
> B: 떡볶이보다 삼겹살을 더 좋아해요.

① 나 (私) / 동생 (妹・弟) / 키가 크다 (背が高い)

② 디즈니랜드 / USJ / 재미있다

③ 쇼유라멘 (醬油ラーメン) / 미소라멘 (味噌ラーメン) / 좋아하다

④ 백화점 (デパート) / 시장 (市場) / 싸다

⑤ (   ) / (   )

7️⃣ 友達と一緒に会話文を完成させ話してみましょう。

【状況1】 스카이트리

A: 오늘 오후에는 스카이트리에 가요.

B: 스카이트리에서 무엇을 하고 싶으세요?

A: (   )고 (   )고 싶어요.

B: 저도 같이 가고 싶어요. 저는 (   )고 싶어요!

A: 그럼 같이 가요!

【状況2】 서울

A: 오늘 오후에 (   )에 가요.

B: (   )에서 무엇을 하고 싶으세요?

A: (   )고 (   )고 싶어요.

B: 저도 같이 가고 싶어요. 저는 (   )고 싶어요!

A: 그럼 같이 가요!

8 次の日本語を韓国語に変えましょう。

① なぜ平日に行かないで週末に行くのですか。

_____

② 何を召し上がりたいですか。

_____

③ 今、いらっしゃいません。

_____

④ クリスマスに何をしたいですか。

_____

9 アンケート：友達と話してみましょう。

질문＼이름			
1. 어제 무엇을 했어요?(-고)			
2. 지금 무엇을 하고 싶어요?			
3. 무슨 음식을 싫어해요?			
4. 초코 아이스크림이 좋아요? 아니면 바닐라 아이스크림이 좋아요? (보다)			
5. 보통 몇 시에 주무세요?			

 聞き取り　　　🎧 5-4

Q. 音声を聞いて、ミカさんがやりたいことに○、やりたくないことに×をつけてください。

① 디즈니씨(　　)　　② 놀이기구(　　)　　③ 사진(　　)
④ 미키(　　)　　　　⑤ 기념품(　　)

 Self check

○ よくできましたか？　☆☆☆☆☆

① **敬語のあいさつ表現**

〈계시다, 주무시다, 드시다〉という敬語は、普段のあいさつとして使われています。

① 계시다

韓国で「さよなら」はその場に残る人と、去る人によって区別されています。残る人(その場所にいる人)には、〈안녕히 계세요〉と言います。この〈계세요〉がいらっしゃるという意味の敬語です。

② 주무시다

韓国で「おやすみなさい」は、〈안녕히 주무세요〉と言います。この〈주무세요〉が敬語です。友だち同士では〈잘 자요!〉〈잘 자!〉と言います。

③ 드시다

韓国語で「どうぞ召し上がってください」は〈많이 드세요〉と言います。直訳すると「たくさん召し上がってください」の意味です。この〈드세요〉が敬語です。

② **있으시다 & 계시다**

〈있으시다〉と〈계시다〉はそれぞれ日本語で「ある」と「いる」の敬語になります。「ある」と「いる」が〈있다〉だったのに、敬語になるとそれぞれ別の単語になるなんて紛らわしいですね。否定文でも〈없으시다〉〈안 계시다〉になるので注意しましょう！＾＾

내일부터 장마에 들어가겠습니다.
明日から梅雨に入るでしょう。

天気予報

💬 set 1 🎧 6-1

일기예보를 말씀드리겠습니다.

내일부터 전국이 장마에 들어가겠습니다. 오늘 낮 최고기온은 31도이고 최저기온은 26도입니다. 습도는 70퍼센트로 불쾌지수도 높겠습니다. 오후에는 가끔 소나기도 내리겠습니다. 우산을 꼭 준비하십시오. 오늘의 날씨였습니다.

- 天気や季節に関する表現
- 謙譲語
- ㅂ変則
- 丁寧な命令形
  : -으십시오, -으세요
- 助詞 : 의
- -겠の用法

💬 set 2 🎧 6-2

A: 오늘은 날씨가 어때요?

B: 습기가 많고 더워요. 내일부터 장마예요.

A: 오후에 비가 와요?

B: 네, 오후부터 소나기도 내려요. 꼭 우산을 준비하세요.

A: 네, 알겠어요. 우산을 준비하겠어요.

💬 set 3 🎧 6-3

A: 한국에서는 여름에 무슨 음식을 먹어요?

B: 삼계탕이 대표적이에요.

A: 삼계탕은 어떻게 만들어요?

B: 닭고기, 마늘, 대추, 인삼 등을 넣고 끓여요.

A: 매워요?

B: 아니요, 맵지 않아요. 하지만 많이 뜨거워요.

set 1

天気予報をお知らせいたします。明日から全国で梅雨入りとなるでしょう。今日のお昼の最高気温は31度、最低気温は26度です。湿度は70パーセントで、不快指数も高いでしょう。午後から時々にわか雨が降るでしょう。傘を必ず用意してください。以上、今日の天気でした。

set 2

A: 今日の天気はどうですか。
B: 湿気が多くて、暑いです。明日から梅雨です。
A: 午後に雨が降りますか。
B: はい、午後から夕立も降ります。必ず傘を用意してください。
A: はい、分かりました。傘を用意します。

set 3

A: 韓国では夏にどんな料理を食べますか。
B: 参鶏湯が代表的です。
A: 参鶏湯はどうやって作りますか。
B: 鶏肉、ニンニク、ナツメ、高麗人参などを入れて煮込みます。
A: 辛いですか。
B: いいえ、辛くないですだけど、とても熱いです。

set 1

□	일기예보	天気予報	□	습도	湿度
□	말씀	お言葉	□	불쾌지수	不快指数
□	드리다	差し上げる	□	높다	高い
□	내일	明日	□	가끔	時々、しばしば
□	전국	全国	□	소나기	にわか雨、夕立
□	장마	梅雨	□	내리다	降る
□	들어가다	入っていく	□	우산	傘
□	낮	お昼	□	꼭	必ず
□	최고기온	最高気温	□	준비하다	準備する
□	최저기온	最低気温	□	도	度

set 2

□	날씨	天気	□	알다	知る、わかる
□	덥다	暑い	□	많다	多い
□	어떻다	どうだ			

set 3

- [ ] 여름 　夏
- [ ] 삼계탕 　参鶏湯
- [ ] 대표적 　代表的
- [ ] 어떻게 　どうやって
- [ ] 닭고기 　鶏肉
- [ ] 마늘 　ニンニク
- [ ] 대추 　ナツメ

- [ ] 인삼 　高麗人参
- [ ] 등 　〜など
- [ ] 넣다 　入れる
- [ ] 끓이다 　煮る、沸かす
- [ ] 맵다 　辛い
- [ ] 뜨겁다 　熱い

 表現

天気や季節に関する表現

봄 (春)

따뜻하다 (温かい)　　꽃가루 (花粉)　황사 (黄砂)

초미세먼지 (超微細ホコリ：PM2.5)　　바람이 불다 (風が吹く)

SPRING

여름 (夏)

덥다 (暑い)　비가 오다 (雨が降る)　땀을 흘리다 (汗をかく)

장마 (梅雨)　　소나기 (夕立)　　태풍 (台風)

SUMMER

가을 (秋)

시원하다 (涼しい)　　안개가 끼다 (霧がかかる)

단풍 (紅葉)　　낙엽 (落ち葉)

AUTUMN

겨울 (冬)

춥다 (寒い)　　눈이 오다 (雪が降る)

눈사람 (雪だるま)　　눈싸움 (雪合戦)

WINTER

 発音 6-4

이십육 도 [이심늌또]   어떻게 [어떠케]   끓여요 [끄려요]

 文法レシピ

1 韓国語の謙譲語

次の単語には謙譲語表現があります。

	謙譲語
나 (私)	저
우리 (私たち)	저희
만나다 (会う)	뵙다
주다 (あげる)	드리다
말하다 (話す)	말씀드리다
묻다 (尋ねる)	여쭙다

몇 가지 묻고 싶어요. 우리가 그 가수를 만나서 말하겠습니다.

(いくつか聞きたいことがあります。私たちがその歌手に会って話します。)

➡ 몇 가지 여쭙고 싶습니다. 저희가 선생님을 뵙고 말씀드리겠습니다.

(いくつか伺いたいことがあります。私たちが先生にお会いしてお話させて頂きます。)

2 「-겠-」の用法

「-겠-」は、基本的に未来の時制＋自分の意志＋丁寧さを含んだ文法です。

♣ 主体が一人称の場合：未来の時制＋自分の意志＋丁寧さ

먼저 가겠습니다.　　　　　私が先に行きます。

오후에 또 오겠습니다.　　　午後にまた来ます。

  ＊먼저：先に　　또：また

♣ 主体が一人称の場合：決まり文句＋丁寧さ

잘 알겠습니다.　　　　　　よくわかりました。(かしこまりました。)

잘 모르겠습니다.　　　　　よくわかりません。(存じておりません。)

잘 먹겠습니다.　　　　　　いただきます。

♣ 主体が三人称の場合：推測・予測

내일은 비가 내리겠습니다.　明日は雨が降るでしょう。(主体：雨)

불쾌지수가 높겠습니다.　　不快指数が高いでしょう。(主体：不快指数)

언젠가 잘하겠지요.　　　　いつか(彼も)上手になるでしょう。(主体：彼)

❸ 動詞の丁寧な命令形：으십시오, 으세요

動詞の基本形「다」の前のパッチムチェック！

基本形	パッチムの有無	フォーマルな命令形	カジュアルな命令形
읽다	パッチムあり♥	읽으십시오	읽으세요
가다	パッチムなし♡	가십시오	가세요
만들다	パッチム ㄹ ＊	만드십시오	만드세요

❹ 助詞：의(〜の)

오늘의 날씨　　　　　今日の天気

내(나의) 책　　　　　私の本

제(저의) 이름　　　　私の名前

5 ㅂ変則活用

基本形「다」の前にパッチム「ㅂ」がある形容詞の場合は「곱다」以外は全部「ㅂ変則活用」になります。(動詞の場合は돕다のみ「ㅂ変則活用」)

♣ 덥다：「해요体」にするとき

① 덥＋어요

② 덥 → 더우：「덥-」のパッチム「ㅂ」が「우」に変わる。

③ 더우＋어요 → 더워요：「우」は「어」とひとつになり「워」に変わる。

 やってみよう

1 今日の天気を調べて話してみましょう。

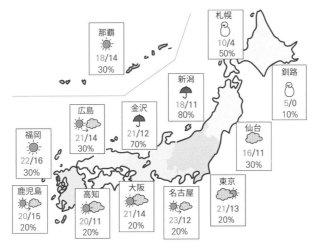

	오늘의 날씨			
	삿포로	도쿄	오사카	우리 동네
최저기온				
최고기온				
맑음 (晴れ)				
흐림 (くもり)				
비				

* 우리 동네：我が町

♣ 指数情報について例のように話してみましょう。

	洗濯	傘	紫外線	星空	ビール
北海道 （札幌）	40	50	強い	0	60
東北 （仙台）	30	100	弱い	10	60
関東 （東京）	70	20	きわめて強い	10	100
우리 동네					

例　오늘은 빨래 지수가 70입니다. 오늘은 우산 지수가 20입니다.

빨래 : 洗濯　　　별 : 星　　　맥주 : ビール　　　자외선 : 紫外線

2 次の韓国語を日本語に訳してください。

① 주말에는 무엇을 하시겠어요? – 영화를 보겠어요.

_____

② 어디에서 영화를 보시겠어요? – 시나가와에서 영화를 보겠어요.

_____

③ 몇시에 영화를 보시겠어요? – 잘 모르겠어요.

_____

④ 주말에는 사람이 많아요. 빨리 예약하세요. – 네 알겠어요.

_____

＊ 예약하다 : 予約する

3 次の単語を丁寧な命令形(フォーマルとカジュアル)に変えましょう。

基本形	フォーマルな命令形	カジュアルな命令形
① 일하다 (働く)	일하십시오	일하세요
② 찍다 (撮る)		
③ 주다 (くれる)		
④ 쓰다 (書く)		
⑤ 살다 (暮らす)		
⑥ 타다 (乗る)		
⑦ 준비하다 (準備する)		
⑧ 드리다 (差し上げる)		

4 ①〜⑫の単語を「해요体」に変えましょう。

① 덥다 (暑い)

② 춥다 (寒い)

③ 맵다 (辛い)

④ 어렵다 (難しい)

⑤ 가볍다 (軽い)

⑥ 무겁다 (重い)

⑦ 괴롭다 (つらい)

⑧ 시끄럽다 (うるさい)

⑨ 더럽다 (汚い)

⑩ 귀엽다 (可愛い)

⑪ 즐겁다 (楽しい)

⑫ 뜨겁다 (熱い)

5 次の日本語を韓国語で書いてみましょう。

① 韓国のキムチは日本のキムチより辛いです。

_____

② 私の猫はとても可愛いです。

_____

③ 昨日のコンサートはとても楽しかったです。(過去形)

_____

④ 韓国語の試験は難しいですか。

_____

6 次のように会話を友だちと一緒に作って話しましょう。

〈겨울〉

A: 일본에서는 겨울에 무슨 음식을 먹어요?

B: _____이/가 대표적이에요.

A: _____은/는 어떻게 만들어요?

B: _____등을 넣어요.

A: 맛이 어때요?

B: _____지만 _____.

〈놀이기구〉

A: 테마파크에서는 무슨 놀이기구를 많이 타요?

B: _____이/가 대표적이에요.

A: _____은/는 어때요?

B: _____지만 _____.

 聞き取り

Q.音声を聞いて、明日の天気について正しいところに○を、異なるところに×を
　つけてください。

① 지금은 가을입니다. (　　)

② 최고기온은 23도 최저기온은 18도입니다. (　　)

③ 구름이 많고 시원합니다. (　　)

 Self check

○　よくできましたか？　☆ ☆ ☆ ☆ ☆

① 様々な表現

(1) 끓이다

〈끓이다〉は沸かす、作る、煮るなどの様々な表現として使われています。例えば、「インスタントラーメンを作る」は〈라면을 끓이다〉と表現されます。お湯を沸かすことも含めて、スープのようなものを作る時には〈끓이다〉を使います。

삼계탕을 끓이다

라면을 끓이다

찌개를 끓이다

(2) 최저

日本語でも「最低」という言葉がありますが、韓国語で「最低」という言葉は最低得点、最低気温、最低点数、最低記録など、数字と関係がある時に使われています。

「○○さん、最低」など、人には使いません。

② 七夕

韓国では陰暦 7 月 7 日を칠석(チルソク)と呼んでいます。日本と同じく직녀(織女：織姫)と견우(牽牛：彦星)の伝説が伝わっています。この日は久しぶりに会った彦星と織姫が涙を流すため、雨が降ると言われています。

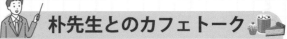

食堂の看板でわかる韓国の地名と食べ物

　「地名＋食べ物」で書いてある看板は、その地域の代表的な食べ物を表しています。チェーン店が多いです。

전주(全州)비빔밥

함흥(咸興)냉면

평양(平壤)냉면

수원(水原)갈비

춘천(春川)닭갈비

안동(安東)찜닭

나주(羅州)곰탕

전주는 비빔밥이 유명해요.　全州はビビンバが有名です。

수원은 갈비가 유명해요.　　水原は骨付きカルビが有名です。

第7課

여보세요? 저 미카인데요…

もしもし。私ミカですけど…

誕生日

💬 set 1 🎧 7-1

미카: 여보세요? 저 미카인데요.

은아: 아, 네. 미카 씨 무슨 일이 있어요?

미카: 사실은 내일 은아 씨 생일 파티에 못 가요.

은아: 왜요?

미카: 갑자기 사정이 생겨서 못 가요. 고향에 가야 해요.

● 電話表現
● -인데요, -은데요/ㄴ데요,
　-는데요
● 理由：-어서/아서/여서
● 不可能の「못」
● 義務·当為
　：-어야/아야/여야 하다
● 授与動作：-어/아/여 주다
● 誘い：-을까요?/ㄹ까요?

💬 set 2 🎧 7-2

은아: 미카 씨, 고향에는 잘 다녀왔어요?

미카: 은아 씨 생일 파티에 꼭 가고 싶었는데요.
　　　정말 아쉬웠어요.

은아: 무슨 일 있었어요? 걱정했어요.

미카: 할머니께서 편찮으셔서 고향에 갔어요. 이제는 괜찮아요.

은아: 다행이에요.

미카: 늦었지만 생일 축하해요!

💬 set 3 🎧 7-3

은아: 그런데 일본에서는 생일에 어떤 음식을 먹어요?

미카: 생일이요? 보통 케이크를 먹는데요.

은아: 한국에서는 케이크도 먹는데 생일에는 꼭 미역국을 먹어요.

미카: 왜 한국에서는 생일에 미역국을 먹어요?

은아: 글쎄요…. 여러 가지 의미가 있어요. 이번 미카 씨 생일에 미역국을 끓여 줄까요?

set 1

ミカ：もしもし。私、ミカで
　　　すけど。

ウナ：あ、はい。ミカさん、
　　　どうしましたか。

ミカ：実は、明日ウナさんの
　　　誕生日パーティーに行
　　　けません。

ウナ：なぜ来られないのです
　　　か？

ミカ：急に用事ができたので
　　　行けません。故郷に帰
　　　らなければなりませ
　　　ん。ごめんなさい。

set 2

ウナ：ミカさん、実家には無
　　　事に行って来ましたか。

ミカ：ウナさんの誕生日パー
　　　ティーに本当に行きた
　　　かったんですが。

ウナ：何かあったんですか。
　　　心配しました。

ミカ：おばあさんが病気にな
　　　ったので故郷に帰りま
　　　した。今は大丈夫です。

ウナ：よかったです。

ミカ：遅くなりましたが、誕
　　　生日おめでとうござい
　　　ます！

set 3

ウナ：ところで、日本では誕生日
　　　にどんな料理を食べます
　　　か。

ミカ：誕生日ですか。普通ケーキ
　　　を食べますが。

ウナ：韓国ではケーキも食べます
　　　が、誕生日には必ずわかめ
　　　スープを食べます。

ミカ：なぜ韓国では誕生日にわか
　　　めスープを食べるんです
　　　か？

ウナ：そうですね。いろんな意味
　　　があります。今度ミカさん
　　　の誕生日にわかめスープを
　　　作ってあげましょうか？

set 1

□ 여보세요	もしもし		□ 갑자기	急に
□ 씨	氏、～さん		□ 사정	事情、用事
□ 사실	事実　＊사실은 実は		□ 생기다	生じる
□ 생일	誕生日		□ 고향	故郷
□ 파티	パーティー		□ 미안하다	すまない

set 2

□ 지난번	この間		□ 할머니	おばあちゃん
□ 아쉽다	残念だ		□ 편찮다	体調を崩される【敬語】
□ 늦다	遅れる、遅い		□ 이제	もう
□ 축하하다	祝う		□ 괜찮다	大丈夫
□ 걱정하다	心配する		□ 다행이다	幸いだ、よかった

set 3

☐ 그런데	ところで	☐ 여러 가지	いろいろ (な)
☐ 어떤	どんな	☐ 의미	意味
☐ 미역국	わかめスープ	☐ 이번	今度
☐ 글쎄요	さあ		

 発音

🎧 7-4

못 가요 [모까요]　　　못 와요 [모돠요]
편찮으셔서 [편차느셔서]　　괜찮아요 [괜차나요]

 文法レシピ

1 名詞＋인데요、形容詞＋은데/ㄴ데、動詞＋는데：〜なんですが

♧ 내일 파티인데요.
♧ 괜찮은데요.
♧ 고향에 가야하는데요.

（名詞＋인데요 ですが）

A: 여기가 미술관이에요?　　ここは美術館ですか？
B: 아니요, 대학인데요.　　いいえ、大学ですが。
A: 미카 씨는 가수예요?　　ミカさんは歌手ですか？
B: 아니요, 학생인데요.　　いいえ、学生ですが。
A: 이것은 미역국이에요?　　これはわかめスープですか？
B: 아니요, 샐러드인데요.　　いいえ、サラダですが。

＊ 미술관：美術館　　샐러드：サラダ

❶ 現在形の場合

♧ **形容詞 ＋ 은데요/ㄴ데요**

パッチムなし♡	고양이가 아주 예쁜데요….	猫がとても可愛いですが…。
パッチムあり♥	가고 싶은데요….	行きたいですが…。
ㅂ変則	정말 아쉬운데요….	本当に残念ですが…。

形容詞だけちょっと複雑です！

♧ **動詞 ＋ 는데요**

저도 가는데요….	私も行きますが…。
이 옷을 입는데요….	この服を着ますが…。
바람이 부는데요….	風が吹きますが…。　→ ㄹ脱落

♧ **<있다/ 없다>＋ 는데요**

저도 맛있는데요….	私もおいしいですが…。
저도 재미없는데요….	私も面白くないですが…。

❷ 過去形の場合

♧ **動・形の過去形 ＋ 는데요**

【動詞】저도 갔는데요….	私も行きましたが…。
이 옷을 입었는데요….	この服を着ましたが…。
바람이 불었는데요….	風が吹きましたが…。
【形容詞】고양이가 아주 예뻤는데요…	猫がとても可愛かったですが…。
가고 싶었는데요….	行きたかったですが…。
【存在詞：～있다/없다】	
저도 맛있었는데요….	私もおいしかったですが…。
정말 아쉬웠는데요….	本当に残念でしたが…。

2 못 ＋ 動詞(不可能)

動詞の前に「못」だけつければ完成です。
　　　　가다(行く) → 못 가다(行けない)

ただし、名詞＋하다動詞の場合は、〈名詞＋못＋하다〉です。

전화하다 (電話する) → 전화 못 하다 (電話できない)

・「못」の発音に注意！

🎧 7-5 濃音化 못+ㄱ, ㄷ, ㅂ, ㅅ, ㅈ : 모+ [ㄲ, ㄸ, ㅃ, ㅆ, ㅉ]

　　　 못 가요 [몯까요]　 못 닫아요 [몯따다요]　 못 봐요 [몯빠요]　 못 사요 [몯싸요]

　　　 못 자요 [몯짜요]

🎧 7-6 連音化 못+ㅇ : 모+ [ㄷ]

　　　 못 와요 [모돠요]　 못 울어요 [모두러요]　 못 일어나요 [모디러나요]

🎧 7-7 鼻音化 못+ㄴ, ㅁ : [몬]　 못 놀아요 [몬노라요]　 못 만났어요 [몬만나써요]

🎧 7-8 激音化 못+ㅎ : 모+ [ㅌ]　 못 해요 [모태요]

3 動・形＋어서/아서/여서 : から、ので【理由】

「해요体」の作り方と一緒です！「요」を取って「서」をつけます！

볼일이 생겨서 못 가요.　　　　　 用事ができたので行けません。

알바가 많아서 바빠요.　　　　　 バイトが多くて忙しいです。

연습을 많이 해서 자신이 있어요.　 たくさん練習をして自信があります。

4 動・形＋어야/아야/여야 하다 : しなければならない【義務】

「해요体」の作り方と一緒です！「-요」を取って「-야」をつけます！

물을 마셔야 해요.　　 파티에 가야 해요.　　 연락해야 해요.

5 動＋어/아/여 주다 : してあげる；してくれる

「해요体」の基本と一緒です！「-요」を取って「주다」をつけます！

　♧ 생일 선물을 사 줄까요?　 ＊선물 : プレゼント

　♧ 생일 케이크를 만들어 줄까요?

　♧ 생일을 축하해 줄까요?

6 動詞＋을까요/ㄹ까요? : 〜ましょうか？【誘い】

パッチム	基本形	〜ましょうか
あり♥	찍다 (撮る)	찍을까요? (撮りましょうか)
なし♡	만나다 (会う)	만날까요? (会いましょうか)
ㄹ *	살다 (住む)	살까요? (住みましょうか)

やってみよう

1 次の日本語を韓国語で書いてみましょう。

① 韓国のキムチですが、ちょっと辛いですね。

_____

② この服を買いましたが、よく似合って嬉しいです。

_____

③ この帽子も買いたいのですが。

_____

* 어울리다 : 似合う

2 次の日本語を「-어서/아서/여서」を使って韓国語で書いてみましょう。

① わかめスープがおいしかったので、レシピをもらいました。

_____

② 天気がいいので、テニスをしました。

_____

③ 雨が降るので、傘を買いました。

_____

* 레시피 : レシピ   받다 : もらう

3 「-어서/아서/여서」を使って文を作ってみましょう。

① (구두가 예쁘다, 사다)

_____

② (영화가 재미있다, 두 번 보다)

_____

③ (땀을 많이 흘리다, 맥주를 마시고 싶다)

_____

4 次の動詞の不可能形を해요体で書いて、発音に注意しながら読んでみましょう。

基本形	不可能形
고르다 (選ぶ)	
도망가다 (逃げる)	
보내다 (送る)	
살다 (暮らす、住む)	
지다 (負ける)	
이기다 (勝つ)	
앉다 (座る)	
날다 (飛ぶ)	
내리다 (降りる)	
만나다 (会う)	
만들다 (作る)	
이야기하다 (話す)	
숙제하다 (宿題する)	
요리하다 (料理する)	

5 例のように「-어서/아서/여서」「못」「-어야/아야/여야 하다」を使って書いてみましょう。

> 例 (시험이 있다, 콘서트에 가다, 공부하다)
> ⇒ 시험이 있어서 콘서트에 못 가요. 공부해야 해요.

① (열이 나다, 학교에 가다, 병원에 가다)

_____

② (여권이 없다, 외국 여행 가다, 여권을 만들다)

_____

③ (시간이 없다, 친구를 만나다, 일을 하다)

_____

④ (날씨가 춥다, 수영을 하다, 집에서 쉬다)

_____

* 열 : 熱　　병원 : 病院　　여권 : パスポート　　외국 여행 : 海外旅行　　수영 : 水泳

6 次の写真を見て、会話を作ってみましょう。

A: 사진 (　　　　　　　　　). 　　　　写真撮ってあげましょうか。

B: 네, 고마워요. (　　　　　　　). 　　　はい、ありがとうございます。お願いします。

A: 여기 좀 (　　　　). 하나 둘 셋! (찰칵)　ここをちょっと見てください。はい、チーズ！

　 사진 좀 (　　　　　　　　). 　　　　写真をちょっと確認してください。

B: 잘 나왔네요. 　　　　　　　　　　　きれいに撮れましたね。

A: 메일로 (　　　　　　　　　)? 　　　メールで送ってあげましょうか。

B: 네, 메일 주소 (　　　　　　　). 　　はい、メールアドレス教えてください。

* 메일 : メール　　확인하다 : 確認する　　보내다 : 送る　　가르치다 : 教える

 **聞き取り**

Q. 音声を聞いて、正しいところに○を、異なるところに×をつけてください。

① 미카 씨는 내일 영화를 봐요. (　　)

② 미카 씨는 다리가 아파요. (　　)

③ 미카 씨는 혼자 병원에 가요. (　　)

*다리：足　　　아프다：痛い

 Self check

○ よくできましたか？　☆ ☆ ☆ ☆ ☆

① 様々な表現－먹다&마시다

韓国語の〈먹다 (食べる)〉は、日本語より意味の範囲が広いです。例えば、薬やスープ類も〈먹다〉で表現されます。水や酒などの飲み物にも〈먹다〉が使えます。もちろん〈마시다〉も使えます。

술도 먹고 밥도 먹고	お酒も飲んで、ご飯も食べて
감기약 먹었어요?	風邪薬を飲みましたか。

② わかめスープ－誕生日編

韓国では誕生日にわかめスープを食べる習慣があります。

韓国では出産後にすぐ食べるものがわかめスープで、一日三食、ご飯とわかめスープが出る病院もあります。誕生日にわかめスープを食べると、自分が生まれた時にお母さんが食べたものを思い出しますよね。ちなみにわかめには血液をきれいにする成分が豊富で、カルシウムがたくさん入っているようです。

③ わかめスープ－受験編

ところが、韓国ではわかめスープを食べてはいけないという日もあります。それは試験の日です。この日がもし誕生日だとしても、わかめスープを食べることはありません。わかめのヌルヌル感が、「滑る」というイメージを持ち、わかめスープを食べると滑る(試験に落ちる)という迷信があります。日本で受験や試合の時にかつ丼を食べる習慣の反対バージョンでしょうか。〈미역국을 먹다〉という表現がありますが、これは「落ちた」の意味で使われるときもありますよ。

第8課

영어를 공부하러 외국에 가려고 해요.
英語を勉強しに外国へ行こうと思います。

語学研修

💬 set 1 🎧 8-1

미카: 여름 방학 때 영어를 배우러 외국에 가려고
해요. 어느 나라가 좋을까요?

여행사 직원: 영국, 미국, 캐나다, 호주가 인기가 많
아요.

미카: 제 돈으로 가니까 비용이 적게 들고 음식이
맛있으면 좋겠어요.

여행사 직원: 그럼 필리핀이 어때요?
미국이나 캐나다보다 비용이 싸고 음식도
괜찮아요.

미카: 그래요? 생각해 볼게요.

● 相談話
● 国の名前
● 理由 : -으니까/니까
● ㄷ変則
● 으変則
● 意図 : -으려고/려고 하다
● 条件 : -으면/면
● 助詞 : 에게
● 移動目的 : -으러/러 가다
● 試み : -어/아/여 보다

💬 set 2 🎧 8-2

은아: 미카 씨, 여름 방학 때 어학 연수를 가요?

미카: 네, 필리핀으로 정했어요.
필리핀은 과일도 맛있고 물가도 싸고 영어를 쓰니까요.

은아: 미카 씨는 더위를 많이 타지 않아요?

미카: 네, 그것이 좀 고민이에요.

은아: 마침 필리핀에 언니가 있는데 언니한테 물어 볼까요?

미카: 와, 정말요? 그럼 정말 도움이 돼요.

은아: 참! 미카 씨, 여권 있어요? 시간이 좀 걸리니까 빨리 여권을 신청해야 해요. 우
선 여권용 사진을 찍으러 갑시다.

미카: 지금은 바쁘니까 나중에 갑시다. 그런데 필리핀은 무슨 음식이 유명해요?

set 1

ミカ：夏休みの間、英語を習いに外国へ行こうと思います。どの国が良いでしょうか。

旅行社の店員：イギリス、アメリカ、カナダ、オーストラリアが人気です。

ミカ：私のお金で行くので費用が少なく済んで、食べ物がおいしいといいです。

旅行社の店員：それならフィリピンはどうですか。アメリカやカナダより費用が安くて食べ物もおいしいです。

ミカ：そうですか。考えてみます。

set 2

ウナ：ミカさん、夏休みの間、語学研修に行くんですか。

ミカ：はい。フィリピンに決めました。フィリピンは果物もおいしくて、物価も安くて英語を使いますから。

ウナ：ミカさんは暑がりじゃないですか。

ミカ：はい。それが悩みです。

ウナ：ちょうどフィリピンに姉がいるので、聞いてみましょうか。

ミカ：わ~本当ですか。それは本当に助かります。

ウナ：あっ、ミカさん、パスポートはありますか。時間がちょっとかかるので早くパスポートを申請しなければなりません。まず、パスポート用の写真を撮りに行きましょう。

ミカ：今は忙しいので後で行きましょう。ところでフィリピンでは何の食べ物が有名ですか。

 単語

set 1

□ 여름 방학	夏休み	□ 호주	オーストラリア
□ 영어	英語	□ 인기	人気
□ 외국	外国	□ 돈	お金
□ 어느	どんな	□ 비용	費用
□ 나라	国	□ 음식	食べ物
□ 영국	イギリス	□ 적게	少なく
□ 미국	アメリカ	□ 그럼	それでは
□ 캐나다	カナダ	□ 이나	～とか
□ 필리핀	フィリピン	□ 해 보다	してみる

set 2

□ 어학	語学		□ 와	わあ（感嘆詞）
□ 연수	研修		□ 정말	本当
□ 정하다	決める		□ 도움이 되다	役に立つ、助かる
□ 과일	果物		□ 참	あっ、そうだ。
□ 물가	物価		□ 여권	パスポート
□ 쓰다	使う		□ 빨리	早く、急いで
□ 더위를 타다	暑がりだ		□ 신청	申請
□ 좀	ちょっと		□ 우선	まず
□ 고민	悩み		□ -용	〜用
□ 마침	たまたま		□ 나중에	後で
□ 언니	姉(女性からみて)		□ 유명하다	有名だ
□ 묻다	聞く			

 発音

좋겠어요 [조케써요]

 文法レシピ

1 動・形＋으니까/니까 : 〜から、〜ので （理由）

「-으니까/니까(理由)：~から、~ので」の意味になります。「-어서/아서/여서」と最も異なる点は、後ろに勧誘文(しましょう)や命令文(てください)が続くことです。

作り方

動詞・形容詞「다」にある前の文字のパッチムチェック！

基本形		
가다	パッチムなし♡	가니까
읽다	パッチムあり♥	읽으니까
만들다	パッチム ㄹ *	만드니까
귀엽다	パッチム ㅂ *	귀여우니까

(平叙文) ~ します

今は忙しいので、後で行きます。

지금은 바쁘니까 나중에 갈게요.(○)
지금은 바빠서 나중에 갈게요. (○)

(勧誘文) ~ しましょう　 ~ しましょうか

今は忙しいので、後で行きましょう。

지금은 바쁘니까 나중에 갑시다. (○)
지금은 바빠서 나중에 갑시다. (✕)

今は忙しいので、後で電話しましょうか。

지금은 바쁘니까 나중에 전화할까요? (○)
지금은 바빠서 나중에 전화할까요? (✕)

(命令文) ~ してください

今は忙しいので、後で電話してください。

지금은 바쁘니까 나중에 전화해 주세요. (○)
지금은 바빠서 나중에 전화해 주세요. (✕)

2 **ㄷ変則動詞 : 듣다(聞く) 걷다(歩く) 묻다(問う)**

　基本形の語尾「다」の前がパッチムの「ㄷ」である場合。例えば、「듣다(聞く), 걷다(歩く), 묻다(問う)」のような動詞は、後ろに「어요・어서・으니까・으면」のような母音で始まる語尾が来ると、そのパッチムの「ㄷ」が「ㄹ」に変化します。初級段階ではこの3つの単語「듣다(聞く), 걷다(歩く), 묻다(問う)」だけしっかり覚えましょう！

　(ただし、すべての「ㄷ」パッチムの動詞が変則だというわけではないことに要注意！「받다(もらう、受ける)」「믿다(信じる)」などは正則です。)

作り方

♣ 묻다(問う)の例

　　<母音が来るとき>

　　　　묻+어요　 →　물어요　　　　묻+어서 → 물어서
　　　　묻+으니까 →　물으니까　　　 묻+으면 → 물으면

　　<子音が来るとき>

　　　　묻+고 → 묻고　　　 묻+지만 →묻지만　　　 묻+습니다 →묻습니다

【参考】文符号の名称	
.	마침표(ピリオド)　마치다(終わる)
?	물음표 (クエスチョンマーク)
	묻다 (問う)
!	느낌표 (感嘆符)　느끼다 (感じる)
,	쉼표 (コンマ)　쉬다 (休む)

3 **으脱落**

　基本形の語尾「다」の前の母音が「ㅡ」である場合。例えば、「예쁘다(綺麗だ), 나쁘다(悪い), 아프다(痛い), 슬프다(悲しい)」の場合は、後ろに「어요/아요/여요」「어서/아서/여서」のような「어/아/여」系列の母音で始まる語尾が来ると、「ㅡ」が脱落します。

作り方

　　<母音が来るとき>

　　　　예쁘+어요 → 예뻐요　　　예쁘+어서 → 예뻐서　　　예쁘+었어요 → 예뻤어요

　　　　아프+아요 → 아파요　　　아프 + 아서 → 아파서　　　아프+았어요 → 아팠어요

　　<子音が来るとき>

　　　　예쁘+고 → 예쁘고　　　예쁘+지만 → 예쁘지만

　　　　아프+고 → 아프고　　　아프 + 지만 → 아프지만

4 動詞＋을게요/ㄹ게요：しますね！

　　一人称(나, 우리, 우리들など)の意志表明・話し言葉　動詞のパッチムチェック！

基本形		(私・私たち)しますね！
받다 (もらう、受ける)	パッチムあり♥	받을게요
타다 (乗る)	パッチムなし♡	탈게요
놀다 (遊ぶ)	パッチム ㄹ*	놀게요
돕다 (助ける、手伝う)	パッチム ㅂ*	도울게요
걷다 (歩く)	パッチム ㄷ*	걸을게요

5 動詞＋읍시다/ㅂ시다：〜しましょう！　動詞のパッチムチェック！

基本形		〜しましょう！
받다 (もらう、受ける)	パッチムあり♥	받읍시다
타다 (乗る)	パッチムなし♡	탑시다
놀다 (遊ぶ)	パッチム ㄹ*	놉시다
돕다 (助ける、手伝う)	パッチム ㅂ*	도웁시다
걷다 (歩く)	パッチム ㄷ*	걸읍시다

6 動・形＋으면/면：〜したら(条件・仮定)

　パッチムあり♥ 으면　　　パッチムなし♡ 면

서울에 도착하면 어디에 갈까요?

ソウルに到着したら、どこへ行きましょうか。

과자가 맛있으면 많이 삽시다.

お菓子がおいしかったら、たくさん買いましょう。

이 메시지를 들으면 바로 전화해 주세요.　*ㄷ変則

このメッセージを聞いたら、すぐ電話してください。

---

*과자：お菓子　　*메시지：メッセージ

1 動詞 + 으러/러 가다 〜しに行く(移動の目的)

-으러/러 가다の作り方

動詞基本形「다」の前ある文字のパッチムチェック！

基本形		〜しに行く
읽다 (読む)	パッチムあり♥	읽으러 가다
공부하다 (勉強する)	パッチムなし♡	공부하러 가다
만들다 (作る)	パッチム ㄹ*	만들러 가다
돕다 (助ける、手伝う)	パッチム ㅂ*	도우러 가다
듣다 (聞く)	パッチム ㄷ*	들으러 가다

2 動詞 + 으려고/려고 하다 〜しようとする(意図)

-으려고/려고 하다の作り方

動詞基本形「다」の前にある文字のパッチムチェック！

基本形		〜しようとする
입다 (着る)	パッチムあり♥	입으려고 하다
쓰다 (使う)	パッチムなし♡	쓰려고 하다
놀다 (遊ぶ)	パッチム ㄹ*	놀려고 하다
돕다 (助ける、手伝う)	パッチム ㅂ*	도우려고 하다
듣다 (聞く)	パッチム ㄷ*	들으려고 하다

3 動・形＋으면/면 좋겠다　〜したらいいと思う

-으면/면 좋겠다の作り方

用言の基本形「다」の前にある文字のパッチムチェック！

基本形		〜したらいいな
맛있다 (おいしい)	パッチムあり♥	맛있으면 좋겠다
자다 (寝る)	パッチムなし♡	자면 좋겠다
놀다 (遊ぶ)	パッチム ㄹ*	놀면 좋겠다
춥다 (寒い)	パッチム ㅂ*	추우면 좋겠다
걷다 (歩く)	パッチム ㄷ*	걸으면 좋겠다

 やってみよう

1 次の日本語を韓国語に変えて、書いてみましょう。

① コンサートを見に韓国へ行きます。

_____

② ミカさんを助けに旅行会社へ行きました。

_____

③ ワインを飲みにフランスとイタリアとスペインへ行きました。

_____

④ 夏休みに、マンゴーを食べに台湾へ行きます。

_____

＊ 와인 : ワイン	프랑스 : フランス	이탈리아 : イタリア
스페인 : スペイン	망고 : マンゴー	대만(타이완) : 台湾

2 例のように「-으니까/니까」「-으러/러 가다」「-으려고/려고 하다」を使い、会話を作ってみましょう。

例 A: 어디에 가세요?

B: (공부하다, 도서관) 공부하**러** 도서관에 가요.

(집 시끄럽다) 집은 시끄러우**니까** **도서관에서 공부하려고 해요**.

① A: 어디에 가세요? 　B: (사진을 찍다, 사진관) 　(여권에 필요하다)
② A: 어디에 가세요? 　B: (에어컨을 사다, 아키하바라) 　(추위를 타다)　　　　　　　* 추위를 타다 : 寒がりだ
③ A: 어디에 가세요? 　B: (진찰을 받다, 병원) 　(배가 아프다)　　　　　　　* 진찰을 받다 : 診察を受ける

3 次の日本語を韓国語で書いてみましょう。

① 雨が降るので試合を中止しますね。

_____

② 暑いからアイスを買いますね。

_____

③ うるさいので窓を閉めましょう。

_____

④ 時間があるのでカラオケに行きましょう。

_____

　* 최소 : 中止　　시합 : 試合　　노래방 : カラオケ

4 あなたの願い事を「-으면/면 좋겠어요」を使って三つ書いてみましょう。

돈이 많으면 좋겠어요!

_____

_____

_____

_____

5 キャンプしに行きます。バーベキューパーティーをしようと思います。
友だちとペアになって会話を作ってみましょう。

A: 주말에 캠핑(　　　　　　　　) 가는데…

　같이 (　　　　　　　　)?

週末にキャンプしに**行きますが**…一緒に行きましょうか。

B: 좋아요. 내가 무엇을 준비(　　　　　　　　)?

いいですね。私が何を用意しましょうか。

A: 바베큐파티를 (　　　　　　)(　　　　　　) 야채를 준비 (　　　　　　).

バーベキューパーティーをしようと思っているので、野菜を用意してください。

B: 캠프파이어도 (　　　　　　　　　　). 어때요?

キャンプファイヤーも**できたらいいなと思います**。どうですか。

A: 굿 아이디어예요! 캠프파이어도 (　　　　　　　　)!

グッドアイデアです。キャンプファイヤーも**やりましょう**！

B: 그럼 내가 (　　　　)하고 (　　　　　　)를 준비(　　　　　　).

それでは野菜とビールを用意します**ね**。

6 次の表に正しい形を書いてみましょう。

基本形	-고	-지만	-는데요	-어서	-으니까	-으면
걷다 (歩く)						
듣다 (聞く)						
묻다 (問う)						

7 次の文を日本語に訳してみましょう。

① 잘 들으세요.

② 많이 걸으세요.

③ 무엇을 물어보고 싶어요?

8 次の表に正しい形を書いてみましょう。

基本形	-고	-지만	-어서/아서	-니까	-면
기쁘다 (嬉しい)					
고프다 (お腹が空く)					
아프다 (痛い)					
나쁘다 (悪い)					
슬프다 (悲しい)					

Q. 音声を聞いて、当てはまるところに線を引いてください。

① 　　＊　＊　　　＊　＊　

② 　　＊　＊　　　＊　＊　

③ 　　＊　＊　　　＊　＊　

 Self check

○ よくできましたか？ ☆ ☆ ☆ ☆ ☆

공항에서 나와서 바로 리무진 버스를 타면 돼요.

空港から出て、すぐリムジンバスに乗るといいです。

ソウルへ行く道

🗨 set 1 　공항 출국　🎧 9-1

미카: 한국은 처음인데 정말 기대가 돼요. 서울에
도착하면 어디에 갈까요?

은아: 첫날은 명동하고 인사동을 산책하고, 이튿날
에는 홍대나 가로수길에 가면 좋아요.
기내식이 간단하니까 서울에 도착해서 점심
을 먹읍시다.

미카: 그래요. 호텔은 명동 근처지요?

은아: 네, 공항에서 나와서 바로 리무진 버스를 타
면 돼요.
내일부터 지하철을 갈아타야 하니까 교통카드가
편해요.

미카: 벌써 가슴이 두근두근하네요.
서울에서 맛있는 음식을 많이 먹고 일본에 돌아가
고 싶어요.

- 旅行の話
- 時間の順次
   : -어서/아서/여서
- 連体形(現在・進行)
- 이/가 되다
- -으면/면 되다
- 許可 : -어도/아도/여도 되다
- 禁止 : -으면/면 안 되다
- -어/아/여 버리다

🗨 set 2 　버스 정류장　🎧 9-2

미카: 아 참, 환전을 해야 하는데 공항에서 해도 돼요?
깜빡 잊어버렸어요.

은아: 공항에서 환전하면 안 돼요. 환율이 제일 안 좋아요.
한국돈이 필요하면 내가 빌려 줄게요.
여기저기 검색하니까 이 식당이 추천 1위예요.
우리 명동에 있는 맛집에서 따끈따끈한 치킨이랑
차가운 맥주를 먹읍시다.

미카: 그 다음에는 어디로 가요?

은아: 한강에 가요. 야경이 아주 멋지고 한강 다리의 라이트업이 정말 아름다워요.

미카: 좋은 정보네요. 저는 예쁜 사진을 많이 찍고 싶어요. 저기 명동으로 가는 리무진 버스가 오네요. 어서 탑시다.

---

set 1　空港出国

ミカ：韓国は初めてなのですが、とても楽しみです。ソウルに到着したら、どこへ行きましょうか。

ウナ：初日は明洞と仁寺洞を散歩して、二日目には弘大かカロスキルに行くといいでしょう。
　　　機内食が簡単な軽食ですから、ソウルに着いたら昼ごはんを食べましょう。

ミカ：そうしましょう。ホテルは明洞の近くですよね。

ウナ：はい。空港から出て、すぐリムジンバスに乗るといいです。
　　　明日から地下鉄に乗り換えなければなりませんので交通カードが楽です。

ミカ：もう胸がドキドキしてますよ。ソウルでおいしい食べ物をいっぱい食べて日本に帰りたいです。

set 2　バス停留所

ミカ：あ、両替しなければないのですが空港でしてもいいですか。うっかり忘れてしまいました。

ウナ：空港で両替したらダメですよ。レートが一番よくないです。
　　　韓国のお金が必要なら私が貸してあげます。あちこち検索してみましたが、この店がおすすめナンバー1です。
　　　私たち明洞にあるおいしい店で、熱々のチキンと冷たいビールを飲みましょう。

ミカ：次はどこへ行きますか。

ウナ：漢江に行きます。夕方の夜景がとてもきれいで、漢江の橋のライトアップが本当に美しいです。

ミカ：いい情報ですね。私はきれいな写真をたくさん撮りたいです。

ウナ：あそこに明洞へ行くリムジンバスが来ますよ。早く乗りましょう。

 **単語**

set 1

☐	출국	出国	☐	점심	昼ごはん
☐	기대	期待	☐	호텔	ホテル
☐	서울	ソウル	☐	근처	近く、近所
☐	도착	到着	☐	바로	すぐ
☐	첫날	初日	☐	리무진	リムジン
☐	명동	明洞	☐	지하철	地下鉄
☐	인사동	仁寺洞	☐	갈아타다	乗り換える
☐	산책하다	散策する	☐	교통카드	交通カード
☐	이튿날	その翌日	☐	편하다	楽だ
☐	홍대	弘大	☐	벌써	もう
☐	가로수	並木	☐	가슴	胸
☐	기내식	機内食	☐	두근두근하다	ドキドキする
☐	간단	簡単	☐	돌아가다	帰る

set 2

☐	정류장	停留所	☐	맛집	おいしい店
☐	환전	両替	☐	따끈따끈	熱々
☐	깜박 잊다	うっかり忘れる	☐	치킨	チキン
☐	환율	レート	☐	차갑다	冷たい
☐	제일	一番	☐	다음	次
☐	필요하다	必要だ	☐	한강	漢江
☐	빌려주다	貸してあげる	☐	야경	夜景
☐	우리	私たち	☐	멋지다	おしゃれだ
☐	여기저기	あちこち	☐	다리	橋
☐	검색	検索	☐	라이트업	ライトアップ
☐	식당	食堂	☐	아름답다	美しい
☐	추천	おすすめ	☐	정보	情報
☐	1위	1位			

発音

줄게요[줄께요]　　　정류장 [정뉴장]　　　갈아타다 [가라타다]

文法レシピ

1 動詞＋어서/아서/여서 ：〜して(前提となる先行動作)

原因・理由の「어서 / 아서 / 여서 (～ので、～から)」と異なる用法なので注意！

어서/아서/여서の作り方

해요体の基本と一緒です！요をとって서をつけます！

① 順次的な出来事に対して使います。

② 同じ空間で起こることの順序(連続性)

　　　서울에 도착해서 점심을 먹읍시다.　ソウルに着いたら、ランチ食べましょう。

　　　역에 내려서 전화하세요.　駅で降りたら、電話してください。

♣ ~고(順接)との違いに注目！

　　친구를 만나고 영화를 봤어요.　友達と会って、映画を見ました。

　　친구를 만나서 영화를 봤어요.　友達と会って、(一緒に)映画を見ました。

만나고(友達と会って別れて**映画を見る**)　　　만나서(友達とそのまま**一緒に映画を見る**)

2 連体形(現在)　　動詞＋는、形容詞＋은/ㄴ、存在詞(있다/없다)＋는　　名詞

> 명동으로 가는 버스
>
> 예쁜 사진을 찍어요
>
> 좋은 정보네요
>
> 차가운 맥주 (冷たいビール　＊ㅂ変則)
>
> 명동에 있는 맛집
>
> 맛있는 음식

現在の連体形

動詞＋는　　　　パッチムと関係なく 는

　아침에 먹는 빵 (朝に食べるパン)　　　점심에 마시는 우유 (昼に飲む牛乳)

形容詞＋은/ㄴ　　パッチムあり♥ 은　　パッチムなし♡ ㄴ

　예쁜 가방 (可愛いかばん)　넓은 방 (広い部屋)　쉬운 책 (易しい本　＊ㅂ変則)

存在詞＋는

　멋있는 가게 (おしゃれな店)　재미없는 영화 (面白くない映画)

 表現

1 名詞＋이/가 되다　〜 になる

助詞の「이/가」に<u>注意</u>！

> 스무 살**이 되면** 성인식을 해요.
>
> 세 시**가 되면** 디저트를 먹읍시다.

*성인식 成人式　　디저트 デザート

2 動・形＋으면/면 되다　〜したらいい

パッチムあり♥ 으면 되다　　　　パッチムなし♡ 면 되다

밥이 없으면 바나나를 먹으면 돼요.
문이 잠겼으면 들어가면 돼요.
집이 없으면 본가에서 살면 돼요.

*문이 잠겼다 : ドアが閉まっている　　本가 : 本家

3 動詞＋어/아/여 버리다　〜てしまう

다른 사람에게 우산을 빌려줘 버렸어요.
리무진 버스로 갈아타 버렸어요.
다른 모델을 추천해 버렸어요.
다른 사람이 돼 버렸어요.

*우산 : 傘　　모델 : モデル　　다른 사람 : 他の人、別人

*<되+어→돼>に注意！

4 動詞＋으면/면 안 되다　〜したらダメだ

パッチムあり♥　으면 안 되다　　　パッチムなし♡ 면 안 되다

여기에서 이를 닦으면 안 돼요.
승차다이빙을 하면 안 돼요.
학교에서 물건을 팔면 안 돼요.

*승차다이빙을 하다 : 駆け込み乗車をする　　이를 닦다 : 歯磨きをする　　물건 : 物、品

5 動詞＋어도/아도/여도 되다　〜してもいい

화장실에서 손을 씻어도 돼요?
미카 씨 집에 놀러가도 돼요?
인터넷 게임을 해도 돼요?

*화장실 : お手洗い　　인터넷 : インターネット　　게임 : ゲーム

1 韓国語で書いてみましょう。

① (値段が)高い傘
② 熱々なうどん
③ 小さい国
④ よく着る服

2 例のように「-으면/면 되다」を使って書いてみましょう。

例　(불고기 만들다, 비싸고 맛있는 고기 사서 요리하다)
　　A: 불고기를 만들려고 해요. 어떻게 하면 돼요?
　　B: 비싸고 맛있는 고기를 사서 요리하면 돼요.

① (가로수길에 가다, 지하철을 타고 신사역에서 내리다)
② (오디션에 참가하다, 인터넷으로 신청하다)
③ (다이어트에 성공하다, 유산소운동을 많이 하다)

*비싸다 : (値段)高い　오디션 : オーディション　참가하다 : 参加する　다이어트 : ダイエット

성공하다 : 成功する　유산소 : 有酸素

3 例のように「-어도/아도/여도 되다」「-으면/면 안 되다」を使って書いてみましょう。

例　(이 아이스크림을 먹다, X, 은아 씨 아이스크림)
　　A: 이 아이스크림을 먹어도 돼요?
　　B: 아니요, 먹으면 안 돼요. 은아 씨 아이스크림이에요.

① (여행을 가다, X, 시험)
② (사진을 찍다, X, 촬영금지)
③ (도시락을 먹다, X, 수업)

*촬영금지 : 撮影禁止　수업 : 授業

4 次の韓国語を日本語に訳してみましょう。

① A: 숙제가 끝나면 게임해도 돼요?

_____

B: 숙제가 끝나도 게임을 하면 안 돼요.

_____

② A: 그러면 언제 게임을 해요?

_____

B: 시험이 끝나면 게임을 해도 돼요.

_____

5 次の日本語を韓国語に変えて書いてみましょう。

① 金先生の宿題をうっかり忘れてしまいました。

_____

② 冷蔵庫の中にあるゼリーを全部食べてしまいました。

_____

③ 違うバスに乗ってしまいました。

_____

*냉장고 : 冷蔵庫　젤리 : ゼリー　다르다 : 違う

6 次の写真をみて、会話を作って話しましょう。

A: 오늘 파티에 불고기 어때요? 맛있는 불고기를 만들려면

어떻게 (したらいいですか　　　　　　　　　　　　　　)?

B: (高くておいしい　　　　　　　　　　　) 소고기를 사면 돼요.

A: 양고기를 (買ってもいいですか　　　　　　　　　)?

B: 양고기를 (買ってはいけません　　　　　　　　　). 소고기를 사세요.

A: 아, 돼지고기를 (買ってしまいました   ).

B: 괜찮아요. 오늘 파티에는 돼지고기로 고추장 불고기를 준비합시다.

A: 그래요. 맵고 맛있는 고추장 불고기가 (期待できますね   ).

B: 7시(になったら   ) 파티를 시작합시다.

*양고기：ラム肉   고추장：コチュジャン   기대되다：期待できる   시작하다：始める

 聞き取り   🎧 9-3

Q. 音声を聞いて、やっていいことに○を、やってはいけないことは×をつけてください。

①(   )   ②(   )   ③(   )   ④(   )

*노약자석：優先席   위험하다：危険だ

 Self check

○ よくできましたか？   ☆☆☆☆☆

① 잊어버리다 vs 잃어버리다

　〈잊어버리다〉と〈잃어버리다〉は日本語で訳すと「忘れてしまう」ですが、〈잊어버리다〉は覚えなければならないもの(名前、宿題、約束など)に対し、〈잃어버리다〉の場合は(子供、物、記憶)を失くすの意味でよく使われています。韓国ドラマでよくあるパターンの記憶喪失は〈기억을 잃어버리다〉になり、持ってくるのを忘れたという時には〈잊어버리다〉になります。

② 치맥(チメク)

　チキンとビールのセットメニューです。韓国人には大人気のメニューでチキンとビールの相性がとてもいいと言われています。チキンの味は店によって違いますが、定番はフライドチキンとヤンニョムチキンですね。ただ、ダイエットの敵なので、はまると大変なことになりますよ！

③ オノマトペ

두근두근 ドキドキ　　　따끈따끈 熱々　　　깜박 うっかり

　韓国語には日本語と同じくオノマトペがたくさん存在しています。〈두근두근〉と〈따끈따끈〉は日本語の「ドキドキ」と「熱々」になります。
　〈깜박〉はうっかり忘れる、うつうつと眠る、光などが点滅する様子など色々な状況で使われています。

세 시부터 방에 들어가실 수 있어요.

3時から部屋に入ることができます。

明洞で

● set 1 호텔에서 🎧 10-1

은아: 체크인하려고 하는데요.

호텔 직원: 네, 성함을 알려 주십시오. 또 여권도
　　　　　 부탁드립니다.

은아: 이은아요. 오늘부터 2박 3일 예약했어요.

호텔 직원: 확인되었습니다.

　　　　　 방은 1205호실입니다. 트윈베드에 금연룸
　　　　　 으로 예약하셨죠?

　　　　　 아직 청소가 안 돼서 방에 들어가실 수가
　　　　　 없습니다.

　　　　　 죄송하지만 오후 3시부터 방에 들어가실
　　　　　 수가 있습니다.

은아: 그래요? 그럼 짐을 프론트에 맡길 수 있어요?

호텔 직원: 여기에 맡기시면 됩니다. 번호표를 받으십시오.

● チェックイン&両替
● 連体形(未来・未定)
● ㅅ変則
● 話者の判断 : -을/ㄹ 것이다
● 可能/不可能 :
-을/ㄹ 수 있다[없다]

● set 2 환전소 🎧 10-2

미카: 여기 5만엔을 한국 돈으로 바꿔 주세요.

직원: 여기 있습니다. 52만원이에요.

은아: 돈을 왜 그렇게 많이 바꿔요?

미카: 예쁜 옷이랑 화장품을 많이 살 거예요.

은아: 한국에서는 보통 물건을 살 때 카드를 많이 쓰니까 현금은
　　　 그렇게 많이 필요 없어요.

미카: 그래도 모자라는 것보다는 나아요.
　　　 돈도 바꿨으니까 식당에 갈까요?

set 1　ホテルで

ウナ：チェックインしようと思うんですが。

ホテル職員：はい。お名前を教えてください。またパスポートもお願い致します。

ウナ：イ・ウナです。今日から2泊3日で予約しました。

ホテル職員：確認できました。お部屋は1205号室です。ツインベッドに禁煙ルームで予約されましたね。まだ掃除が完了していないので、部屋に入ることができません。申し訳ありませんが午後3時から部屋に入ることができます。

ウナ：そうですか。それなら荷物をフロントに預けられますか。

ホテル職員：ここに預けて頂ければ、大丈夫です。引換券をお受け取りください。

set 2　両替所

ミカ：5万円を韓国のお金に替えてください。

両替所店員：どうぞ。52万ウォンです。

ウナ：お金をどうしてそんなにたくさん両替するのですか。

ミカ：可愛い服と化粧品をたくさん買うつもりです。

ウナ：韓国では普段物を買う時、カードをたくさん使うので現金はそれほど必要ありません。

ミカ：それでも足りないよりはマシです。両替もしたので食堂に行きましょうか。

 単語

set 1

☐	체크인	チェックイン		☐	예약	予約
☐	성함	お名前		☐	아직	また
☐	알리다	知らせる		☐	청소	掃除
☐	박	泊		☐	죄송하다	申し訳ない
☐	확인	確認		☐	짐	荷物
☐	방	部屋		☐	프론트	フロント
☐	호실	号室		☐	맡기다	預ける
☐	트윈베드	ツインベット		☐	번호표	番号札、引換券
☐	금연	禁煙		☐	받다	もらう、受け取る

set 2

☐ 바꾸다	換える	☐ 현금	現金
☐ 그렇게	そんなに	☐ 필요	必要
☐ 화장품	化粧品	☐ 그래도	それでも
☐ 많이	たくさん、多く	☐ 모자라다	足りない
☐ 물건	物	☐ 낫다	マシだ、優れる、治る
☐ 카드	カード	☐ 식당	食堂

 文法レシピ

1 連体形(未来) 動・形＋을/ㄹ 名詞

내일 먹을 빵	오늘 잘 곳	내가 살 집(*ㄹ)	오늘 들을 노래(*ㄷ)
좁을 때	예쁠 때	더울 때(*ㅂ)	
멋있을 때	맛없을 때		

未来の連体形

動詞＋을/ㄹ　　　　パッチムあり♥ 을　　　　パッチムなし♡ ㄹ

　내일 먹을 빵 (明日、食べるパン)　오늘 살 화장품 (今日、買う予定の化粧品)

形容詞＋을/ㄹ パッチムあり♥ 을　　　　パッチムなし♡ ㄹ

　좁을 때 (狭い時)　　　　예쁠 때 (可愛い時)

存在詞＋을

　멋있을 때 (格好いい時)

2 ㅅ変則動詞

　ㅅ変則は、動詞「낫다(マシだ、治る), 짓다(建てる、炊く、作る), 잇다(繋ぐ)」などに限られています。

作り方

① 해요体と同じです！

② 母音が<ㅏ,ㅗ>の場合　：(ㅅ脱落)

　　　낫+아요 → 나아요

③ 母音が<ㅏ,ㅗ>以外の場合：(ㅅ脱落)

　　　잇+어요 → 이어요

　　　짓+어요 → 지어요

例　　이게 저거보다 나아요.　　　これはあれよりましです。

　　　(*이게→이것이の縮約形　저거 저것の話す言葉)

　　　우리를 이어준 곳이 여기예요.　私達の縁を結んでくれたところがここです。

　　　결혼하면 집을 짓고 싶어요.　　結婚したら家を建てたいです。

　　　감기 다 나았어요?　　　　　　風邪は完全に治りましたか。

 表現

1 動詞＋을/ㄹ 거예요　**するつもりです(一人称)**

パッチム	基本形	するつもりです
あり♥	찍다 (撮る)	찍을 거예요 (撮るつもりです)
なし♡	만나다 (会う)	만날 거예요 (会うつもりです)
ㄹ	살다 (住む)	살 거예요 (住むつもりです)

　一人称以外には、「〜でしょう」の「推量の表現」になります。

例　　내일은 비가 올 거예요.　　　　미카 씨는 성공할 거예요.

　　　明日は雨が降るでしょう。　　　　ミカさんは成功するでしょう。

2 動詞＋을/ㄹ 수 있다, 없다　**することができる・できない**

パッチム	基本形	することができる
あり♥	찍다 (撮る)	찍을 수 있어요 (撮ることができます)
なし♡	만나다 (会う)	만날 수 있어요 (会うことができます)
ㄹ	살다 (住む)	살 수 있어요 (住むことができます)

3 名詞＋을/를　名詞＋으로/로 바꾸다　**～を ～に替える**

침대방을 온돌방으로 바꿔주세요.

죄송하지만 우동을 소바로 바꿀 수 있어요?

아르바이트 날짜를 일요일로 바꿀 거예요.

*온돌방：オンドル部屋

4 形容詞＋은/ㄴ 것　**～もの**

> 예쁜 것을 많이 사고 싶어요.
>
> 몸에 좋은 것을 먹어야 해요.
>
> 쉬운 것부터 풀어보세요.

*풀다：(問題を)解く

やってみよう

1 例のように「-을/ㄹ 수 있어요」「-을/ㄹ 수 없어요」を使って書いてみましょう。

例　(여기, 사진을 찍다, 🚫)

　　A: 여기에서 사진을 찍을 수 있어요?

　　B: 아니요, 여기에서 사진을 찍을 수 없어요.

① (여기, 음식을 먹다,)

② (교실, 담배를 피우다,)

③ (수업, 스마트폰,)

④ (반려동물, 들어가다,)

　　*담배를 피우다 : 煙草を吸う

2 **私はこれができます！友達と自慢話しましょう。**

[例]　　미카: 저는 생선 초밥을 열다섯 접시 먹을 수 있어요!
　　　　은아: 저는 4개국어를 할 수 있어요!

*생선 초밥 : お寿司　　　接시 : お皿、プレート　　4개국어 : 4ヶ国語

이름	할 수 있어요!

3 **例のように「-을/를 -으로/로 바꾸다」を使って書いてみましょう。**

[例]　　(5만엔, 한국돈)
　　　　5만엔을 한국돈으로 바꿔 주세요.

① (L사이즈, M사이즈)

② (팥빙수, 과일빙수)

③ (통로쪽 좌석, 창문쪽 좌석)

④ (만 엔, 달러)

*통로 : 通路　　　창문 : 窓　　　　좌석 : 座席　　　달러 : ドル

4 例のように「-으면/면 -을/ㄹ 거예요」を使って書いてみましょう。

例 (서울에 가다, 사진을 많이 찍다)
　　　서울에 가면 사진을 많이 찍을 거예요.

① (스무살이 되다, 술을 마시다)
② (주말이 되다, 실컷 놀다)
③ (사진을 찍다, 신고하다)

*실컷 : 思い切り　　　신고하다 : 通報する

5 例のように「-을/ㄹ 때 -으면/면 안 돼요」を使って書いてみましょう。

例 (환율이 나쁘다, 환전을 하다)
　　　환율이 나쁠 때 환전을 하면 안 돼요.

① (밥을 먹다, 소리를 내다)
② (아이가 자다, 떠들다)
③ (시험을 보다, 컨닝을 하다)
④ (동생이 놀다, 장난감을 뺏다)

*소리를 내다 : 音を立てる　떠들다 : 騒ぐ　컨닝 : カンニング　장난감 : おもちゃ　뺏다 : 奪う

6 次の日本語を韓国語で書いてみましょう。

① いいものを作ってください。
② 熱いものが嫌いです。
③ デパートには高いものが多いです。
④ 安いものありますか。

7 次の韓国語を日本語に訳してください。

① 따뜻한 것으로 드릴까요? 차가운 것으로 드릴까요?
② 단 것이 먹고 싶어요.
③ 맛있는 것과 맛없는 것이 있어요. 무엇을 마지막에 먹어요?

B ( )の中の日本語を韓国語に直して話しましょう。

A: 화장품을 (どうしてそんなに   ) 많이 샀어요?

B: 너무 싸서(かわいいもの   )을 많이 사버렸어요.

A: (重いもの   )을 많이 사면 비행기를 (乗るとき   ) 공항에서 추

　가 요금을 많이 내야 해요.

B: 그래요?(それでも   )모자라는 것보다(マシです   )

A: 옷은 (買わないつもりですか   )?

B: 옷도 살 거예요.

A: 그럼　빨리 같이 화장품 가게에 가서 환불합시다!

*추가요금을 내다 : 追加料金を払う　　환불하다 : 返品する

聞き取り

🎧 10-3

Q. 音声を聞いて、答えましょう。

(1) 오늘 달러를 원으로 (   )했어요.

(2) 환율은 1달러에 (   )원이에요.

(3) 여기는 어디입니까?

　　　① 환전소　　　② 백화점　　　③ 전철

Self check

○ よくできましたか？　☆☆☆☆☆

① 주다-드리다(謙譲語)-주시다(敬語)のパワー関係

　韓国語の敬語、謙譲語を定める一番の基準は年齢です。そのあとはステータスなどが関係しますが年齢=パワーのイメージが強いです。韓国で初対面の人にいきなり年齢を聞くのは、敬語を使わなければならない関係かを確かめるためです。しかし、最近の若い世代は敬語や謙譲語などを上の世代ほど使い分けない傾向があるようです。

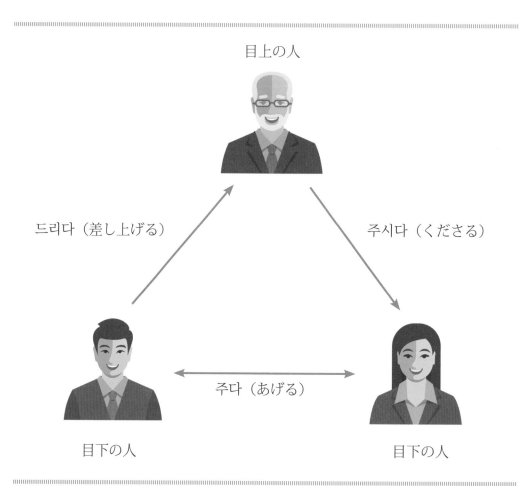

目上の人

드리다（差し上げる）　　　　　주시다（くださる）

주다（あげる）

目下の人　　　　　　　　　　目下の人

② 한식, 일식, 중식

〈韓定食〉　　　　　　　〈和食〉　　　　　　　〈中華〉

　韓国では韓定食を韓食、日本食を日食、中華料理を中食と言います。

　中華料理は普段から出前をとって食べることが多いです。ジャージャー麺と中華うどん(マイルド)、中華ちゃんぽん(辛い味)、酢豚が定番です。

ちゃんぽん

배가 살살 아파요.

お腹がしくしくと痛い感じがします。

薬局で

● set 1 식당에서 🎧 11-1

● 食堂&薬局
● オノマトペ表現
● 르変則
● 進行：-고 있다
● 推則：-나보다,-은가/ㄴ가보다
● 状態と変化：-어지다/아지
다/여지다

미카: 와, 멋진 가게네요. 그런데 사람이 너무 많아요.

은아: 맛있는 집은 다 그래요. 요즘 한식 뷔페가 유
행하고 있어요. 그냥 줄을 섭시다. 진짜 맛있는
한국 음식을 싸게 많이 먹을 수 있어요.

미카: 맛있는 냄새가 나니까 더 배가 고파요.

<잠시 후>

미카: 좀 기다렸지만 맛있고 값도 싸서 깜짝 놀랐어요.
아… 배가 불러서 움직일 수가 없어요.

은아: 배도 부르니까 산책이나 쇼핑을 좀 할까요?

미카: 저… 은아 씨, 너무 많이 먹었나 봐요. 배가 살
살 아파요.

은아: 어머 어떡해요. 근처 약국에 가서 약을 삽시다.

● set 2 약국에서 🎧 11-2

약사: 어떻게 오셨어요?

미카: 배가 살살 아파요.

약사: 언제부터 아프세요? 설사는 안 하세요?

미카: 점심 먹고부터요. 머리도 지끈지끈 아프고 속
도 메슥거려요.

약사: 약간 열도 있네요. 여기 약이 있어요. 좋아지지 않으면 바로 병원에 가세요.

< 약국에서 나와서>

은아: 몸이 좀 어때요?

미카: 약 먹고 쉬니까 좀 좋아졌어요. 열도 좀 내렸나 봐요.

set 1　食堂で

ミカ：わぁ。おしゃれなお店ですね。でも人が多すぎますね。

ウナ：おいしいところはみんなそうです。最近、韓食のビュッフェが流行っています。まあ並びましょう。本場のおいしい韓国料理を安くてたくさん食べることができますよ。

ミカ：いい匂いがするのでもっとお腹がすきます。

ミカ：ちょっと待ちましたが、おいしくてお値段も安いのでびっくりしました。あ～お腹がいっぱいで動けません。

ウナ：お腹もいっぱいなので、散歩かショッピングでもしに行きましょうか。

ミカ：あの…ウナさん、食べ過ぎたみたいです。お腹がしくしくと痛い感じがします。

ウナ：あら。どうしましょう。この近くの薬局に行って薬を買いましょう。

set 2　薬局で

薬剤師：どうなさいしましたか。

ミカ：　お腹がしくしくと痛いです。

薬剤師：いつから痛いですか?下痢はしないですか。

ミカ：　昼ごはんを食べてからです。頭もズキズキと痛みを感じてむかむかします。

薬剤師：若干熱もありますね。薬を出します。よくならなかったらすぐ病院に行ってください。

ウナ：　体の調子はどうですか。

ミカ：　薬を飲んで休んだらちょっとよくなりました。熱も少し下がったみたいです。

 単語

set 1

☐	가게	お店	☐	기다리다	待つ
☐	요즘	最近	☐	깜짝 놀라다	びっくりする
☐	한식	韓食	☐	(배가) 부르다	(お腹)がいっぱいだ
☐	뷔페	ビュッフェ	☐	살살	(お腹)しくしく
☐	유행하다	流行する	☐	어떡해요	どうしよう
☐	줄을 서다	列を並ぶ	☐	근처	近く
☐	진짜	本物	☐	약국	薬局
☐	배	お腹	☐	약	薬

set 2

☐	약사	薬剤師	☐ 약간	若干
☐	설사	下痢	☐ 열	熱
☐	지끈지끈	ズキズキ	☐ 바로	すぐ
☐	속	中、胃	☐ 몸	体、調子
☐	메슥거리다	むかむかする	☐ 내리다	下がる

 発音

어떡해요 [어떠케요]　　내렸나 봐요 [내런나봐요]

病状関連語彙&オノマトペ

몸이 안 좋다	体の調子が優れない
몸살감기	疲れから来る風邪
독감	インフルエンザ
꽃가루	花粉
알레르기	アレルギー

몸이 으슬으슬 춥다	体がぞくぞく寒い、悪寒
열이 펄펄 나다	高熱が出る
근육통 筋肉痛	욱신욱신 ずきずき、じんじん
두통 頭痛	지끈지끈 ズキズキ

눈이 간질간질	目がかゆい
콧물이 줄줄	鼻水がだらだら
눈물이 줄줄	涙がだらだら

재채기 くしゃみ	에취	ハックション
딸꾹질 しゃっくり	딸꾹딸꾹	ひっくひっく
기침 咳	콜록콜록	ごほんごほん

文法レシピ

1 르変則用言

르変則とは、基本形が「르다」で終わる用言です。大まかには「으」変則と同じ変化を見せるが、活用された後の形態にパッチム「ㄹ」が付け加わることが異なります。

♣ 書くときに〈ㄹㄹ〉になって、発音するときに[ll]になるのが特徴です。

빠르다 (早い、速い)　　다르다 (違う、異なる)　　모르다 (わからない)

누르다 (押す)　　부르다 (呼ぶ、いっぱいだ)　　흐르다 (流れる)

作り方

① 르다の前の母音チェック(해요体の作り方と同じです！)

② 母音が〈ㅏ, ㅗ〉の場合：

　　　빠르+아요 → 빨라요

　　　다르+아요 → 달라요

　　　모르+아요→ 몰라요

③ 母音が〈ㅏ, ㅗ〉以外の場合：

　　　누르+어요 → 눌러요

　　　부르+어요 → 불러요

　　　흐르+어요 → 흘러요

 **表現**

1 動詞＋고 있다 　〜している(進行)

基本形の形一切チェックなし！分かち書きに気をつけよう！

미카 씨, 지금 뭐 하고 있어요? 맛집을 검색하고 있어요.
(뭐: 무엇을의 縮約形)

2 動詞＋나 봐요 するみたいです、するようです

基本形の形一切チェックなし！

맛있는 냄새가 나네요.　어머니께서 카레를 만드시나 봐요.

3 形容詞＋어지다/아지다/여지다　〜くなる(状態の変化)

形容詞の〈해요体〉の基本レシピと一緒です！해요をとって지다をつけます！

신칸센이 생겨서 도쿄까지 도착시간이 빨라지고 편리해졌어요.

*생기다：できる　　　편리하다：便利だ

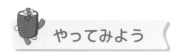 **やってみよう**

1 例のように「-고 있다」を使って友達とアクションをしながら話しましょう。

例　A: 지금 뭐 하고 있어요?
　　B: (運動しているようなアクション) 운동하고 있어요.

① (テレビを見ているようなアクション)
② (公園で歩いているようなアクション)
③ (運転しているようなアクション)

④ _____

⑤ _____

⑥ _____

2 最近、流行しているものは何ですか？質問を3つ作って、友達と話をしましょう。

> 例　A: 요즘 무슨 노래가 유행하고 있어요?
> 　　B: K-팝이 유행하고 있어요.　(K-팝 : K-pop)

質問	友達の答え
① 패션	
② 말	
③ 엑티비티	
④ 게임	
⑤ 디저트	

3 例のように「-나 봐요」を使って書いてみましょう。

> 例　(이상한 소리가 들리다, 비가 오다)
> 　　A: 이상한 소리가 들리네요.
> 　　B: 비가 오나 봐요.

*이상한 : おかしい、変な　　들리다 : 聞こえる

① (미카 씨가 파티에 안 왔다, 시간이 없다)

② (은아가 시험을 잘 봤다, 공부를 열심히 했다)

③ (콧물이 나다, 감기에 걸렸다)

*시험을 잘 보다 : 試験がうまくいった

4 10年間でこんなに変わりました。

「-어지다/아지다/여지다」を使って韓国語に訳しましょう。

① 背が高くなりました！

② 綺麗になりました！

③ 格好良くなりました！

④ 性格が良くなりました！

⑤ 姉との喧嘩がなくなりました！

⑥ 目が悪くなりました！

*姉：누나(男性からみて) / 언니(女性からみて)　喧嘩：싸움

5 次の韓国語を日本語で書きましょう。

① 이사를 해서 학교가 집에서 가까워졌어요.

② 키가 커서 바지가 짧아졌어요.

③ 다큐멘터리를 보고 마음이 따뜻해졌어요.

*이사를 하다：引っ越す　바지：ズボン　짧다：短い　다큐멘터리：ドキュメンタリー

6 病気の症状を表す韓国語を使って、友達と会話文を完成させ話しましょう。
(皮膚科、耳鼻科、整形外科、心療内科)

医者: 어떻게 오셨어요?

患者: (　　　　　　　　　　)고 (　　　　　　　　　　　　)

医者: 언제부터 아프세요?

患者: (　　　　　　　　)부터요.(　　　　　　　　)고 (　　　　　　　　).

医者: (　　　　　　　　　　　　　　)?

患者: (　　　　　　　　　　　　　　).

医者: 요즘 (　　　　　　　　　　　)이/가 유행이에요.처방전을 드릴게요.

　　　 좋아지지 않으면 다시 오세요.

　　　 *처방전 : 処方箋

 聞き取り　　　　　　　　　　　　　　　　　🎧 11-3

Q. 音声を聞いて、答えましょう。

(1) 여기는 어디입니까?　　　　　　① 꽃집　　② 병원　　③ 은행

(2) 이 사람은 어디가 아파요?　　① 코　　　② 배　　　③ 눈

 Self check

○ よくできましたか？　☆☆☆☆☆

빵집을 지나자마자 오른쪽으로 꺾어지세요.

パン屋さんを過ぎたら、すぐ右側に曲がってください。

オリンピック公園で

● set 1 🎧 12-1

은아: 오늘 올림픽공원에서 이벤트가 있죠?

저는 오전에 친구랑 약속이 있어서 같이 갈 수
없어요. 미카 씨 혼자 올림픽공원에 갈 수 있죠?

미카: 자신은 없지만 노력해 볼게요. 가는 법을 좀 가
르쳐 주세요.

은아: 종로3가역에서 5호선으로 갈아타고 올림픽공
원역에서 내리세요. 너무 멀어서 어떡해요?

미카: 어쩔 수 없죠.

은아: 올림픽공원역 3번 출구로 나오면 정면에 빵집이 있어요. 빵집을 지나자마자 오
른쪽으로 꺾어지세요. 그리고 쭉 직진해서 큰길을 건너면 체조 경기장이 있어요.

미카: 네, 알겠어요. 자세히 가르쳐 줘서 고마워요. 그럼 올림픽공원역에서 내린 후에
연락할게요.

● 道案内
● 連体形(過去・完了)
● 同時動作：-으면서/면서
● -자마자
● 試み：-어/아/여 보다
● 方法：-는 법
● -은/ㄴ 후에

● set 2 🎧 12-2

은아: 오늘 이벤트는 어땠어요?

미카: 은아 씨 덕분에 무사히 이벤트에 참석할
수 있었어요.

은아: 올림픽공원이 너무 넓어서 고생했죠?

미카: 처음에는 길을 잘 몰라서 고생했어요.

은아: 올림픽공원역에는 넓은 호수, 전시물,
박물관이랑 미술관도 있어요.

미카: 이벤트가 끝난 후에 혼자 음악을 들으면
서 산책을 했어요. 마음에 드는 곳이에요.

set 1

ウナ：今日、オリンピック公園でイベントがあります
　　　よね。私は午前中、友達と約束があるので一緒
　　　に行けません。ミカさんひとりでオリンピック
　　　公園に行けますよね。

ミカ：自信はないですけど頑張ります。ちょっと行く
　　　方法を教えてください。

ウナ：鐘路3街で5号線に乗り換えてオリンピック公
　　　園駅で降りてください。遠すぎてどうしましょ
　　　う？

ミカ：仕方がないです。

ウナ：オリンピック公園駅の3番出口を出たら正面にパ
　　　ン屋さんがあります。パン屋さんを過ぎたらすぐ
　　　右側に曲がってください。そして、まっすぐ直進
　　　して大通りを渡ったら体操競技場があります。

ミカ：はい、わかりました。詳しく教えてくれてあり
　　　がとうございます。それじゃオリンピック公園
　　　駅で降りた後、また連絡します。

set 2

ウナ：今日のイベントどうでしたか。

ミカ：ウナさんのおかげで無事イベン
　　　トに参加することができました。

ウナ：オリンピック公園が広すぎて大
　　　変だったでしょう。

ミカ：最初は道がよくわからなくて大
　　　変でした。

ウナ：オリンピック公園には広い湖、
　　　展示物、博物館や美術館もあり
　　　ますよ。

ミカ：イベントが終わった後、ひとり
　　　で音楽を聴きながら散歩しまし
　　　た。お気に入りの場所です。

 単語

set 1

☐	올림픽	オリンピック	☐	정면	正面
☐	이벤트	イベント	☐	오른쪽	右側
☐	약속	約束	☐	꺾어지다	曲がる
☐	혼자	独り(で)	☐	쭉	まっすぐ
☐	자신	自信	☐	직진하다	直進する
☐	노력하다	努力する、頑張る	☐	건너다	渡る
☐	종로3가	【地名】鐘路3街	☐	체조	体操
☐	어쩔 수 없다	仕方がない	☐	경기장	競技場
☐	출구	出口	☐	일단	一旦
☐	나오다	出て来る	☐	연락하다	連絡する

set 2

☐	덕분	おかげ	☐ 전시물	展示物
☐	참석	参席、出席	☐ 박물관	博物館
☐	넓다	広い	☐ 미술관	美術館
☐	고생하다	苦労する	☐ 음악	音楽
☐	호수	湖	☐ 마음에 들다	気に入る
☐	무사히	無事に	☐ 마음에 안 들다	気に入らない

 発音

종로 [종노]　　끝나다 [끈나다]

넓은 [널븐]　　넓다 [널따]　　연락할게요 [열라칼께요]

 文法レシピ

1 連体形(過去)　動詞＋은/ㄴ　　名詞

> 어제 먹은 빵　오늘 아침에 간 곳　내가 만든 집(*ㄹ)　어제 들은 노래(*ㄷ)

過去の連体形

動詞＋은/ㄴ　パッチムあり♥ 은　　　　　　パッチムなし♡ ㄴ

　　　　　어제도 먹은 빵 (昨日も食べたパン)　　오늘 간 이벤트 (今日行ったイベント)

2 動詞＋자마자 : や否や

: 動詞の形一切チェックなし！

　그 사람을 보자마자 사랑에 빠졌어요.

　*사랑에 빠지다 : 恋に落ちる

3 動詞＋으면서/면서 : ながら(同時動作)

パッチムチェックが必要です！

パッチム	基本形	ながら
あり♥	찍다 (撮る)	찍으면서 (撮りながら)
なし♡	만나다 (会う)	만나면서 (会いながら)
ㄹ	놀다 (遊ぶ)	놀면서 (遊びながら)

 表現

1 動詞 + 어/아/여 보다　〜てみる

> 일단 드셔 보세요.
> 일단 살아 보세요.
> 일단 사용해 보세요.

*잡수다 : 召し上がる　　사용하다 : 使用する

2 動詞＋는 법　〜する方法

> 공항에 가는 법을 아세요? 우선 교통 앱으로 검색해 보세요.
> 일본 음식을 먹는 법을 아세요? 젓가락을 사용하는 법을 배워야 해요.

*교통앱 : 交通アプリ　　젓가락 : 箸

3 動詞 + 은/ㄴ 후에　～した後に

> 사진을 찍은 후에 잘 나온 사진을 친구들에게 보내줬어요.
>
> 이벤트가 끝난 후에 뭘 했어요?

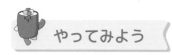

やってみよう

1 例のように「-자마자」を使って書いてください。

> 例　(그 음악을 듣다, 마음에 들다)
>
> 그 음악을 듣자마자 마음에 들었어요.

① (아침에 일어나다, 텔레비전을 켜다)

② (집에 들어오다, 손부터 씻다)

③ (수업이 끝나다, 아르바이트를 하러 가다)

2 次の絵を見て①～④の質問に答えてみましょう。

| 미카 | 은아 | 호준 | 하루토 |

① 음악을 들으면서 자전거를 타는 사람은 누구예요?

② 파마를 하면서 잡지를 보는 사람은 누구예요?

③ 거울을 보면서 화장을 하는 사람은 누구예요?

④ 반려동물과 산책하면서 친구와 이야기하는 사람은 누구예요?

　*파마를 하다 : パーマをかける　　잡지 : 雑誌　　거울 : 鏡　　화장을 하다 : 化粧をする

3 次の写真を見て、会話文を作って話しましょう。

미카: 잡채가 너무 맛있어요! (作る方法　　　　　　　　　　　　　)을 가르쳐 주세요.

집에서 혼자 (作ってみたいです　　　　　　　　).

호준: 요리 블로그 레시피를 보고 만들었어요.

이 블로그 레시피는 언제나 성공이에요.

재료비도 많이 안 들고 맛이 있어요.

미카: 그건 정말 중요한 포인트예요!

저는 돈이 없으니까 재료비도 중요해요.

(仕方がないです　　　　　　　　　　).

호준: 제가 레시피를 메시지로 보내　드릴게요.

미카: 호준 씨(　　　　　　　　　のおかげで)맛있는 잡채를 만들 수 있어서 기뻐요.

　　* 블로그 : ブログ　　언제나 : いつも　　재료비 : 材料費　　중요하다 : 重要だ

4 道案内をよく読んで(　　　)中に適切な言葉を埋めましょう。

A: 가로수길에서 약속이 있는데 (行く方法　　　　　　　　　)을 가르쳐 주세요.

B: 혼자 갈 수 있어요?

　일단 을지로3가역에서 3호선으로 (乗り換えてください　　　　　　).

　그리고 신사역에서 내리세요.

A: 신사역이요?

B: 네, 신사역 3번 (出口　　　　　　)로 나오면 바로 앞에 맥도날드가 있어요.

　맥도날드를 (過ぎてすぐ　　　　　　) 바로 왼쪽으로 꺾어지세요.

　그리고 쭉 직진하면 가로수길이 나와요.

　가로수길　어디에서 약속이 있어요?

A: 크레이프집이요.

B: 아…거기 유명한 가게예요. 가로수길 쪽으로 들어와서 다섯 블록정도

　(過ぎたら　　　　　　) 횡단보도가 나와요.

　횡단보도를 (渡ってすぐ　　　　　　) 오른쪽으로 조금만 걸어가면 그 가게가 있어요.

　좀 많이 걸어야 해요.

A: 신사역에 (到着した後　　　　　　) 메시지를 보낼게요.

B: 요즘엔 이렇게 휴대폰에 지하철앱을 깔면 아주 편해요.

Hint : 도착하다　~는 법　건너다　갈아타다　자마자　지나다　출구　내리다

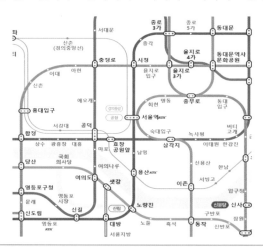

*맥도날드 : マクドナルド　　　크레이프 : クレープ　　　횡단보도 : 横断歩道

　지하철 앱을 깔다 : 地下鉄アプリをインストールする　　편하다 : 便利だ、楽だ

5 みなさんの近くにある〈おいしい店〉への行き方を説明しましょう。

みなさんの近くにあるおいしいラーメン屋さんには、どうやって行けばい
いですか。ノートなどに地図を書いて友達に紹介しましょう。(交通手段、
方向などを使いましょう！)

 聞き取り　　　　　　　　　　　　　　　🎧 12-3

Q. 한식 뷔페는 어디에 있어요? 몇 번이에요?

 Self check

○ よくできましたか？　☆ ☆ ☆ ☆ ☆

第13課

찜질복 색깔이 마음에 안 들어요.

チムジルバンの服の色が気に入らないです。

チムジルバンで

🗨 set 1 🎧 13-1

미카: 오늘은 음식을 먹으러 가기보다 마사지를
　　　받고 싶어요. 찜질방이 어때요?

은아: 좋은 생각이에요. 찜질방에서는 사우나나 마사
　　　지는 물론이고, 영화나 만화책을 볼 수도 있어요.

미카: 어, 식당도 있네요. 식당에서는 뭘 팔아요?

은아: 식혜나 삶은 달걀, 음료수, 식사 종류 등을 파
　　　는데요. 아마 미카 씨 입에는 안 맞을 거예요.
　　　먹지 마세요.

미카: 아니에요. 다른 사람들처럼 찜질방을 즐기고
　　　싶어요.

- チムジルバン
- ㅎ脱落
- 色のことば
- 直接引用文 : 라고 하다
- 禁止 : -지 마세요
- -을/ㄹ 뻔했어요
- -는 것 같다, -은/ㄴ 것 같다
- -게 되다

🗨 set 2 🎧 13-2

미카: 다 좋은데 찜질복 색깔이 마음에 안 들어요. 좀 예쁜 색이면 좋겠어요.

은아: 미카 씨는 무슨 색을 좋아하세요?

미카: 노란색을 좋아해요.

은아: 저는 파란색을 좋아하는데… 마사지는 어땠어요?

미카: 처음에는 너무 아파서 죽을 뻔했어요. 그래서 아주머니께 "살살해 주세요"라고 했어요. 피부가 촉촉해지고 보들보들하고 매끈매끈해졌어요. 만져 보세요.

은아: 그렇네요! 미카 씨 기분도 좋은 것 같은데 한턱내세요.

미카: 좋아요! 그럼 우리 노래방에 가요.

은아: 그럼 친구들을 좀 부를까요? 한국 친구들을 소개할게요.

미카: 우와! 드디어 한국 친구들을 만나게 되네요!

set 1

ミカ: 今日はおいしい料理よりマッサージを受けたいですね。チムジルバンどうですか。

ウナ: いい考えです。チムジルバンではサウナやマッサージはもちろん、映画や漫画も読むことができます。

ミカ: お…食堂もありますね。食堂では何を売ってますか。

ウナ: シッケやゆで卵、飲み物、食事ができるようなものなどを売ってますが。たぶんミカさんの口には合わないと思います。食べないでください。

ミカ: いいえ、他の人みたいにチムジルバンを楽しみたいです。

set 2

ミカ: 全部良いけど、チムジルバンの服の色が気にいらないです。もっときれいな色ならいいのに…。

ウナ: ミカさんは何色が好きですか。

ミカ: 私は黄色が好きです。

ウナ: 私は青色が好きですが。マッサージはどうでしたか?

ミカ: 最初はとても痛くて死にそうでした。それでおばさんに「優しくしてください」と言いました。肌もしっとりとなって、なめらかですべすべになっています。触ってみてください。

ウナ: そうですね!気分もよさそうなのでおごってください。

ミカ: いいですよ!それじゃ私達、カラオケに行きましょう!

ウナ: それじゃ、私の友達を呼びましょうか？韓国人の友達を紹介しますよ。

ミカ: わ！ついに韓国人の友達と会うことになりますね!

set 1

☐ 마사지	マッサージ	☐ 삶다[삼따]	ゆでる
☐ 받다	受ける、もらう	☐ 달걀	卵
☐ 찜질방	チムジルバン	☐ 음료수	飲み物
☐ 생각	考え	☐ 식사	食事
☐ 사우나	サウナ	☐ 종류	種類
☐ 물론	もちろん	☐ 등	など
☐ 만화책	漫画	☐ 입에 맞다	口に合う
☐ 식혜	シッケ	☐ 즐기다	楽しむ

set 2

☐ 찜질복	チムジルバンの服	☐ 보들보들하다	(肌)なめらかだ
☐ 색깔	色	☐ 매끈매끈하다	すべすべする
☐ 마음에 들다	気に入る	☐ 만지다	触る
☐ 노란색	黄色	☐ 기분	気分
☐ 죽다	死ぬ	☐ 한턱내다	おごる(いいことで)
☐ 아주머니	おばさん	☐ 부르다	呼ぶ
☐ 살살하다	優しくする	☐ 소개하다	紹介する
☐ 라고 하다	～と言う	☐ 드디어	ついに、いよいよ
☐ 피부	(皮膚)肌	☐ -게 되다	～ようになる
☐ 촉촉하다	しっとりとする		

発音

식혜 [시케]　　삶은 [살믄]　　삶다 [삼따]

文法レシピ

１ ㅎ脱落　色の言葉　連体形＋색(色)　→　p.28 虹色の語彙　参照

ㅎ脱落形容詞の連体形

赤色	빨갛다	빨갛 + 은 → 빨간	빨간색
黄色	노랗다	노랗 + 은 → 노란	노란색
青色	파랗다	파랗 + 은 → 파란	파란색
白色	하얗다	하얗 + 은 → 하얀	하얀색
黒色	까맣다	까맣 + 은 → 까만	까만색

赤いです　　　빨갛 + 아요 → 빨개요
黄色いです　　노랗 + 아요 → 노래요
青いです　　　파랗 + 아요 → 파래요
白いです　　　하얗 + 아요 → 하얘요
黒いです　　　까맣 + 아요 → 까매요

♧ 빨간 과일이나 채소를 3개 말해 보세요.
　　(사과　,　　　　　　　,　　　　　　　)

♧ 노란 과일이나 채소를 3개 말해 보세요.
　　(바나나,　　　　　　　,　　　　　　　)

*과일 : 果物　　채소 : 野菜

2 -라고 하다 : 〜という 直接引用文

하루토 씨: 저도 찜질방에 가고 싶어요!　　　　　　　　　　〈平叙文〉

　　→ 하루토 씨가 "저도 찜질방에 가고 싶어요!"라고 했어요.

　　　　　　　　　　　　　　　　　　　(말했어요:言いました)

미카 씨: 오늘은 어디에 갈 거예요?　　　　　　　　　　　〈疑問文〉

　　→ 미카 씨가 "오늘은 어디에 갈 거예요?"라고 했어요.

　　　　　　　　　　　　　　　　　　　(물었어요:聞きました)

호준 씨: 밥 먹으러 갑시다!　　　　　　　　　　　　　　〈勧誘文〉

　　→ 호준 씨가 "밥 먹으러 갑시다!"라고 했어요.

은아 씨: 오늘은 호텔에서 좀 쉬세요.　　　　　　　　　　〈命令文〉

　　→ 은아 씨가 "오늘은 호텔에서 좀 쉬세요."라고 했어요. (말했어요)

♡ 覚えましょう！

　지금 뭐라고 하셨어요?　　　(今、何とおっしゃいましたか？)

　지금 뭐라고 했어요?　　　　(今、何と言いましたか？)

 表現

1 動詞＋지 마세요 しないでください！(禁止)

動詞＋지 마세요 : 動詞の形一切チェックなし！分かち書きに注意！

　　　　가짜 물건을 사지 마세요.

　　　　수업 시간에 잡담하지 마세요.

　　　　아이돌 사진을 찍지 마세요.

　　　　새치기하지 마세요. : 割り込みしないでください。

＊가짜 : 偽物　　잡담 : 雑談　　새치기 : 割り込み

2 動詞 + 을/ㄹ 뻔하다　～するところだ

> 동생 간식을 먹을 뻔했어요.
> 대학에 떨어질 뻔했어요.
> 시합에서 우승할 뻔했어요.

* 간식 : 間食　　떨어지다 : 落ちる　　우승 : 優勝

3 動詞 + 는 것 같다, 形容詞 + 은/ㄴ 것 같다　ようだ、みたいだ

> 지금 오는 것 같아요.
> 운전하는 것 같아요.
> 목소리가 예쁜 것 같아요.
> 성격이 밝은 것 같아요.
> 행복한 것 같아요.
>
> * 목소리 : 声　　행복하다 : 幸せだ　　성격 : 性格

*하다는 「운동하다, 수영하다, 공부하다」のような動詞には「는 것 같다」がつき、
「행복하다, 피곤하다, 복잡하다, 유명하다」のような形容詞には「ㄴ 것 같다」が
つきます。

4 動・形 + 게 되다　～ようになる

用言 + 게 되다 : 用言の形一切チェックなし！分かち書きに注意！

> 피아노를 잘 치게 됐어요.
> 돈을 많이 벌게 됐어요.

*피아노를 치다 : ピアノを弾く　돈을 벌다 : お金を稼ぐ、儲ける

やってみよう

1 何色が好きですか？グループの友達に聞いてみましょう。

하얀색(白色)	빨간색	주황색	노란색	초록색	파란색	남색

보라색	까만색(黒色)	분홍색(ピンク色)	갈색(茶色)	회색(灰色)	하늘색(水色)

무지개 색

빨간색(赤色) ——
주황색(オレンジ色)
보라색(紫色) ——
남색(藍色) ——
노란색(黄色)
파란색(青色) ——
초록색(緑色)

2 一番人気がある色は何ですか？

♧ 친구들이 무슨 색 옷을 입고 있어요? 말해 보세요.

♧ 자기 물건 중에 무슨 색이 제일 많아요?

3 例のように「-으면서/면서」「-지 마세요」を使って書いてください。

> 例 (휴대폰을 보다, 걷다)
> 휴대폰을 보면서 걷지 마세요.

① (영화관에서 영화를 보다, 옆사람과 이야기하다)

_____

② (음식을 먹다, 말하다)

_____

③ (운전을 하다, 옆을 보다)

_____

④

_____

4 例のように「-을/ㄹ 뻔하다」を使って書いてください。

> 例 (배가 고프다, 죽다)
> 배가 고파서 죽을 뻔했어요.

① (길이 막히다, 비행기를 놓치다)

_____

② (너무 많이 먹다, 배탈이 나다)

_____

③ (바닥이 미끄럽다, 넘어지다)

_____

④ _____

⑤ _____

*길이 막히다 : 道が渋滞する　비행기를 놓치다 : 飛行機に乗り遅れる

　배탈이 나다 : お腹を壊す　미끄럽다 : 滑る　넘어지다 : 転ぶ

5 例のように会話文を作りましょう。

> 例 A: 맛이 어때요?
>
> B: (짜다) 짠 것 같아요.

① A : 호준 씨 기분이 어떤 것 같아요?

　B : (화가 나다) _____.

② A : 요즘 미카 씨한테 연락이 없어요.

　B : (바쁘다) _____.

③ A : 은아 씨가 하루 종일 콧노래를 불러요.

　B : (남자 친구가 생기다) _____.

④ A : 휴대폰이 안 켜지네요.

　B : (고장이 나다) _____.

*화가 나다 : 怒る　　하루 종일 : 一日中　　콧노래 : 鼻歌　　남자 친구가 생기다 : 彼氏ができる

　켜지다 : (明かりなど)が点く　　고장이 나다 : 故障する

6 次の韓国語を日本語に訳してみましょう。

① 언제부터 포인트를 모으게 되었어요?

_____

② 노래방에서 노래 연습을 많이 하니까 잘하게 되었어요.

_____

③ 여자친구와 말다툼을 하고 헤어지게 되었어요.

_____

④ 취미가 맞아서 친하게 되었어요.

_____

*포인트를 모으다 : ポイントを貯める　　여자친구 : 彼女　　말다툼 : 口喧嘩

　헤어지다 : 別れる　　취미 : 趣味　　친하다 : 親しい

7 次の会話を完成させて話してみましょう。

하루토: 와! (ついに) 노래 점수 100점을 받았네요.

호준: 축하해요. 저는 80점인데….

하루토: 노래방에서는 노래 선택이 중요한 것 같아요.

호준: 그래서 하루토 씨는 완벽한 점수를 받은 것 같네요.

좋은 점수를 받은 기념으로 (おごってください).

어…또 80점이네.

정말 이 노래방 (気に入らないです).

화가 나게 되네요.

사실은 은아 씨가 "이 노래방에 (行かないでください)"라고 했어요.

하루토: 한 곡만 더 부르고 나갑시다.

호준 씨 (口に合う) 파스타를 사 줄게요.

*점수 : 点数   선택 : 選択   완벽 : 完璧   기념으로 : 記念に   화가 나다 : 腹立つ

한 곡 : 一曲   파스타 : パスタ

Q. 다음을 듣고 답하세요.

(1) 이 사람은 왜 얼굴이 빨개졌어요?

   ① 술을 마셔서   ② 화장을 해서   ③ 마라톤을 해서

(2) 다음 중 맞는 것에 ○ 를 하세요.

   ① 이 사람은 얼굴이 탔어요. (　　　)

   ② 이 사람은 다리가 많이 아파요. (　　　)

   ③ 이 사람은 더워서 죽었어요. (　　　)

 Self check

○ よくできましたか？ ☆☆☆☆☆

韓国ソウルの交通事情と手段

　基本的に韓国の交通費は日本に比べると安いです！タクシーでも、地下鉄でも、お金と時間のどちらを優先させるか判断して利用するといいですね。

　また、日本と車道の方向が反対です。慣れるまで気をつけてくださいね！

① タクシー：ドアは日本のタクシーのように、自動で開きません。もちろん自動で閉まりません。自分で開け閉めをしてください。黒いタクシーは料金が少し高いです。

② 地下鉄：1号線から9号線まであります。T-Moneyカードを買ってチャージすれば、楽に利用できます。地下鉄の場合は駆け込み乗車や割り込みなど、イラッとする場合があります。また優先席やピンクカーペットという妊婦さんのための配慮席があります。規則を守らない場合は、厳しく注意されることがあるので気をつけてくださいね！

Priority Seating

군인은 모두 군대 생활을 하는 줄 알았어요.

軍人は全員軍隊生活をすると思いました。

ソウル最後の夜

● set 1 🎧 14-1

미카 : 오늘 오전에 누구를 만났어요?

은아 : 유치원 때 친구를 만났어요. 그 친구는 다음주에 군대에 가요. 그래서 군대 가기 전에 만났어요.

미카 : 군대요? 한국 남자들은 꼭 군대를 가야 해요?

은아 : 제 친구는 컴퓨터공학부 대학생인데 훈련만 받고 바로 컴퓨터 회사에서 근무할 것 같아요.

미카 : 군인은 모두 군대 생활을 하는 줄 알았어요.

은아 : 예외인 경우도 있대요. 밖에서 매일 훈련을 받으니까 자외선 차단제를 선물했어요.

미카 : 재미있네요. 군대 가는 친구에게 화장품 선물을….

은아 : 그리고 면회도 가기로 했어요.

미카 : 면회요? 혹시 호준 씨 아니에요? 둘이 사귀는 것 아니에요? 수상한데요.

은아 : 진짜 아니에요. 군대 음식은 맛이 없기로 유명하대요. 호준이가 미식가라서 참기 어려울 것 같아요.

● set 2 🎧 14-2

은아 : 미카 씨, 며칠 동안에 아주 예뻐진 것 같아요.

미카 : 정말요? 서울에 있는 동안 정말 행복했어요. 그런데 고민이 생겼어요. 필리핀 어학 연수를 포기해야 할 것 같아요.

은아 : 왜요? 계약금도 냈잖아요!

미카 : 지금 취소하면 환불 수수료가 없대요. 대신에 갑자기 한국에 유학하고 싶어졌어요.

은아 : 왜 갑자기 그런 생각이 들었어요?

● 軍隊＆留学
● 伝聞
● -기の慣用句
● 推量 : -을/ㄹ 것 같다
● 予想外 : -는 줄 알았다.
　　　-은/ㄴ 줄 알았다
● -잖아요
● -을래요/ㄹ래요

미카 : 음식도 입에 맞고, 거리 풍경이나 사람들도 일본하고 비슷하니까 안심이 돼요. 그리고 한국어를 더 잘하고 싶어졌어요.

은아 : 잘 생각해서 결정하세요. 필리핀 어학연수는 미카 씨에게 좋은 경험이 될 것 같은데요.

미카 : 그렇기는 한데요. 오늘이 서울의 마지막 밤이네요. 2박 3일은 너무 짧은 것 같아요. 아쉬워요. 오늘밤에는 막걸리하고 해물 파전을 먹을래요. 건배!

은아 : 위하여!

---

set 1

ミカ : 今日の午前中に誰と会いましたか。

ウナ : 幼稚園の同級生と会いました。その友達は来週軍隊に行きます。それで入隊する前に会いました。

ミカ : 軍隊ですか。韓国の男性は必ず入隊しなければならないのですか。

ウナ : 私の友達はコンピューター工学部に通っているので、訓練を受けたらすぐコンピューターの会社に勤務するようです。

ミカ : 軍人は全員軍隊に入って生活すると思いました。

ウナ : 例外もあるそうです。外で毎日訓練を受けるので日焼け止めをプレゼントしました。

ミカ : 面白いですね。軍隊に行く友達に化粧品のプレゼントなんて・・・。

ウナ : そして面会も行くことにしました。

ミカ : 面会ですか？もしかしてホジュンさんではないですか。お二人、付き合ってるのではないですか。怪しいですね。

ウナ : 本当に違います。軍隊の食べ物はまずいことで有名だそうです。ホジュンさんはグルメな人ですから我慢するのが難しいかもしれません。

set 2

ウナ : ミカさん、この数日でとてもきれいになったみたいですね。

ミカ : 本当ですか。ソウルにいる間、とても幸せでした。ところが悩みごとができました。フィリピンへの語学研修をあきらめないといけなさそうです。

ウナ : どうしてですか。契約金も払ったじゃないですか。

ミカ : 今キャンセルすれば返金手数料はかからないそうです。代わりに韓国に留学したくなりました。

ウナ : なぜ急にそう思ったのですか。

ミカ : 食べ物も口に合うし、街の風景や人々も日本と似ていて、安心します。そして、韓国語がもっと上手になりたくなりました。

ウナ : よく考えて決めてください。フィリピンの語学研修 はミカさんにとっていい経験になりそうですが。

ミカ : それはそうですけど。今日がソウルでの最後の夜です。2泊3日は短すぎますね。寂しいです。今晩はマッコリと海鮮チヂミを食べますよ。乾杯！

ウナ : 乾杯！

 **単語**

set 1

☐	주	週		☐	생활	生活
☐	군대	軍隊		☐	-는 줄 알았다	すると思った(実際には違う)
☐	대요	〜だそうです		☐	예외	例外
☐	매일	毎日		☐	경우	場合
☐	-기 전에	する前に		☐	식혜	シッケ
☐	남자	男子		☐	삶다 [삼따]	ゆでる
☐	컴퓨터	コンピューター		☐	달걀	卵
☐	공학부	工学部		☐	음료수	飲み物
☐	훈련	訓練		☐	식사	食事
☐	회사	会社		☐	종류	種類
☐	근무	勤務		☐	등	など
☐	-을 것 같다	〜しそうだ		☐	입에 맞다	口に合う
☐	모두	みんな		☐	즐기다	楽しむ

set 2

☐	동안	間		☐	참다	我慢する
☐	행복하다	幸せだ		☐	-기 어렵다/쉽다	〜しにくい/〜しやすい
☐	생기다	できる		☐	비슷하다	似ている
☐	포기하다	あきらめる		☐	안심	安心
☐	계약금	契約金		☐	결정	決定
☐	취소하다	取り消しする		☐	경험	経験
☐	환불	返金		☐	그렇기는 하다	それはそうだ
☐	수수료	手数料		☐	마지막	最後
☐	대신에	代わりに		☐	짧다	短い
☐	갑자기	急に		☐	아쉽다	寂しい、惜しい、物足りない
☐	자외선	紫外線		☐	막걸리	マッコリ

☐	차단제	遮断剤	☐	해물	海鮮	
☐	자외선 차단제	日焼け止め	☐	유학	留学	
☐	면회	面会	☐	그런	そんな	
☐	-기로 하다	～することにする	☐	거리	街	
☐	혹시	もしかして	☐	풍경	風景	
☐	사귀다	付き合う	☐	파전	チヂミ	
☐	수상하다	怪しい	☐	건배	乾杯	
☐	-기로/-로 유명하다	～することで有名だ	☐	위하여	～のために（乾杯のことば）	
☐	미식가	グルメ				

 発音

같아요 [가타요] ＊話し言葉としては [가태요] で発音する場合があります。

행복했어요 [행보케써요]　　짧은 [짤븐]

 文法レシピ

1 伝聞

❶ 平叙文：-는다고/ㄴ다고 해요, -다고 해요, -이라고/라고 해요 : ～だそうです
　　　　　(縮約形　-는대요/ㄴ대요, -대요, -이래요/래요)
　　　　　・예외인 경우도 있대요.
　　　　　・환불 수수료가 없대요.
　　　　　話し言葉では、縮約形をよく使います。覚えてくださいね！

❷ 勧誘文：-자고 해요 : ～しようと言っています(縮約形 -재요)

❸ 命令文：-으라고/라고 해요 : ～しろと言っています(縮約形 -으래요/래요)

❹ -어/아/여 주세요　〜してくださいの間接話法

　　-어/아/여 달라고 〜してくれと言っています(縮約形 -어/아/여 달래요)

❺ 禁止命令文 : -지 말라고 해요 : 〜しないでくれと言っています(縮約形 -지 말래요)

❻ 疑問文 : -냐고 해요 : 〜なのかと言っています(縮約形 -내요)

 表現

1 -기 (〜すること) 慣用句

---

　① -기 전에 : 〜する前に
　　　계약을 취소하기 전에 잘 활인하세요.

　② -기로 유명하다 : 〜することで有名だ
　　　제주도는 바다가 예쁘기로 유명해요.

　③ -기 어렵다 : 〜しにくい／〜しやすい、〜するのが簡単だ
　　　케이크는 만들기 어렵지만 먹기는 쉬워요.

　④ -기 위하여 : 〜するために
　　　영어를 잘 하기 위하여 유학을 결심했어요.

---

2 連体形 + 것 같다　推量のようだ、そうだ

어제 먹은 것 같아요.	昨日食べたようです。
지금 먹는 것 같아요.	今食べているようです。
내일 먹을 것 같아요.	明日食べるようです。

---

3 動詞＋는 줄 알았다、形容詞＋은/ㄴ 줄 알았다

存在詞(있다/없다) ＋ 는 줄 알았다

そうする・だろうと思っていた(のにそうではなかった)。：予想外だったという意味

> 내일 출발하는 줄 알았어요.
>
> 明日出発すると思っていました。（出発日が明日ではない！）
>
> 그 가수는 춤도 잘 추는 줄 알았어요.
>
> その歌手はダンスも上手だと思っていました。（実際にはダンスが下手だった。がっかり！）
>
> 날씨가 좋은 줄 알았어요.
>
> 天気がいいと思っていました。（雨だった）
>
> 택시가 빠른 줄 알았어요.
>
> タクシーのほうが早いと思っていました。（道が混んでいて、地下鉄より遅かった！）

＊-을/ㄹ 줄 알다·모르다：〜することができる・できない（やり方を知っている・知らない）

> 인터넷으로 주문할 줄 알아요? – 그럼요.
>
> 휴대폰에 앱을 깔 줄 알아요?　– 네, 아주 쉬워요.
>
> 파워포인트를 만들 줄 알아요? – 아니요, 만들 줄 몰라요. 가르쳐 주세요.
>
> ＊파워포인트：パワーポイント

4 動・形＋잖아요 (あなたも知っていると思うけど) 〜じゃないですか

用言の形一切チェックなし！

目上の人には失礼に当たるので使わない方がいいです。

> 지금 하잖아요.　今やっているじゃないですか。
>
> 너무 어렵잖아요.　あまりにも難しいじゃないですか。
>
> 지금 연락했잖아요.　今連絡したじゃないですか。
>
> 벌써 시간이 늦었잖아요.　もう時間がおそくなったじゃないですか。

5 動詞＋을래요/ㄹ래요　〜しますよ(意志・誓い・約束)

パッチムあり♥ 을래요　　パッチムなし♡ ㄹ래요

相手を配慮せず自分の都合を優先する表現です。(ㄹ / 을게요 の場合は思いやりが入ってます)

피곤해요. 집에 갈래요.

오늘은 회가 먹고 싶어요. 일식을 먹을래요.

이벤트홀에 가기 싫어졌어요. 여기 있을래요.

＊회：さしみ　　일식：和食　　홀：ホール

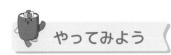

1 例のように会話文を作ってみましょう。

例　A: 날씨가 좋은데 왜 우산을 가지고 왔어요?
　　B: (비가 오다) 비가 오는 줄 알았어요. 그런데 비가 안 오네요.

① A: 왜 숙제를 안 했어요?

B: (숙제가 쉽다)＿＿＿＿＿＿＿＿＿＿＿. 그런데 시간이 모자라서 다 못 했어요.

② A: 왜 영화를 안 봐요?

B: (영화가 재미있다) ＿＿＿＿＿＿＿＿＿＿＿. 그런데 너무 시시해요.

③ A: 왜 지각을 했어요?

B: (오늘이 일요일이다) ＿＿＿＿＿＿＿＿＿＿. 그런데 월요일이네요.

④ A: 왜 그 사람하고 헤어졌어요?

B: (그 사람이 부자이다) ＿＿＿＿＿＿＿＿＿＿. 그런데 그 사람이 거짓말을
했어요.

＊시시하다：つまらない　　부자：金持ち　　거짓말을 하다：嘘をつく

2 例のように会話文を作ってみましょう。

例 A: 오늘 왜 학교에 안 가요?

B: (휴일이다) 오늘 휴일이잖아요. 달력 좀 보세요.

* 달력 : カレンダー

① A: 호준 씨가 왜 닭갈비를 안 먹지요?

B: 호준 씨는 (매운 음식을 싫어하다)_____. 그것도 몰랐어요?

A: 아, 그럼 치즈 닭갈비를 주문할게요. 이건 안 매워요.

② 무슨 일로 환불하십니까?

B: 여기 좀 보세요! (가방 지퍼가 불량이다) _____.

A: 아, 죄송합니다. 즉시 환불 처리해 드리겠습니다.

③ A: 미카 씨, 늦었는데 이제 호텔로 돌아갑시다.

B: 마지막 밤인데 이렇게 헤어지면 (아쉽다)_____. 안주도 추가해서 한 잔 더 합시다!

A: 미카 씨, 내일 아침 비행기 놓치면 어떡해요. (짐도 싸야 되다)_____.

* 치즈 : チーズ　　불량 : 不良　　지퍼 : ファスナー　　즉시 : 即時、直ちに　　처리 : 処理

안주 : おつまみ　추가 : 追加　　짐을 싸다 : 荷造りをする

3 例のように会話文を作ってみましょう。

例 A: 무슨 피자를 시킬까요?

B: 저는 아무거나 괜찮아요.

C: 저는 마르게리타를 (먹다) 먹을래요. 다른 피자는 싫어요.

* 아무거나 : なんでも　　　마르게리타 : マルゲリータピザ

① A: 어떻게 갈 거예요?

B: 길이 복잡하니까 고속버스를 타고 갈 거예요.

A: 고속버스는 싫어요. 저는 차멀미를 하니까 기차를 타고(가다)_____.

B: 기차를 타면 여러 번 갈아타야 해요. 괜찮아요? 그럼 제가 기차표를 예매할게요.

② A: 은아 씨 생일 선물로 뭐가_____(いいでしょうか)?

　　은아 씨는 반려동물을 좋아하니까 강아지를 살까요?

　B: 은아 씨는 강아지보다 고양이를_____(好きだそうです).

　A: 그래요? 그럼 고양이를(선물하다)_____.

　B: 혹시 모르니까 은아 씨한테 뭐가_____(いいのか聞いてください).

* 기차 : 汽車　　　　차멀미를 하다 : 車酔いをする　　　예매 : 予約買い

4 次の会話を読んで、下の( )に伝聞で書いてみましょう。

은아 : 크리스마스에 호준 씨 면회하러 갑시다.

미카 : 좋아요. 면회에는 보통 뭘 가져 가요?

은아 : 호준 씨는 치킨을 좋아해요. 치킨하고 김밥을 가져갑시다. 하루토 씨도 부
　　　　르려고 해요.

미카 : 하루토 씨, 이번 크리스마스에 호준 씨 면회를 같이 갈 수 있어요?

하루토 : 미안해요. 저는 약속이 있어요. 크리스마스에는 길이 복잡하니까 아침
　　　　　일찍 출발하세요. 그리고 호준 씨는 매운 음식을 안 좋아해요. 그러니까
　　　　　양념치킨은 가져가지 마세요.

은아 씨는 크리스마스에 호준 씨 면회를 (간대요). 미카 씨도 (간대요). 호준 씨는
치킨을 (　　　　). 치킨하고 김밥을 (　　　　　). 하루토 씨도 (　　　　).

하루토 씨는 약속이 (　　　　). 그래서 호준 씨 면회를 갈 수 (　　　　). 크리스마스
에는 길이 복잡하니까 아침 일찍 (　　　　) 그리고 호준 씨는 매운 음식은 (　　　　).
그러니까 양념치킨은 가져가지 (　　　　).

5 本文の set2 のミカさんの話をまとめて、伝聞で発表しましょう。

例 미카 씨는 서울에 있는 동안 너무 행복했대요.

_____

_____

_____

_____

_____

 聞き取り

 14-3

Q. 다음을 듣고 맞는 것에 ○를 하세요.

① 은아 씨는 스케이트를 잘 탄대요. (　　)

② 미카 씨는 은아씨에게 스케이트를 가르쳐 주겠대요. (　　)

③ 은아 씨는 스케이트가 무섭대요. (　　)

Self check

○ よくできましたか？　☆☆☆☆☆

① 1950　고무신（ゴムシン）

　1950 年代から 2003 年度まで兵役は通常 3 年でした。軍隊にいる彼を待つ彼女たちにとって 3 年は長く、待てずにほかに彼氏ができることもあり、それを知った軍人は銃を持って脱営するなど、いろいろなトラブルがあったそうです。軍人になった彼氏を捨てて、ほかに彼氏をつくることを〈고무신을 거꾸로 신다：ゴムシンを逆に履く〉と比喩的な表現を使います。そうしたことから、彼氏が除隊する日まで待っている彼女たちのために「ゴムシン」というブログができたと言われています。

② 軍人に人気がある軍隊食メニューベスト 5

1. 햄버거　　2. 프라이드 치킨　　3. 갈비찜　　4. 미트볼 스파게티　　5. 꼬리곰탕

（햄버거）

（프라이드 치킨）

（갈비찜）

（미트볼 스파게티）

（꼬리곰탕）

語彙リスト（韓→日）

ㄱ

가게	店
가끔	時々、しばしば
가다	行く
가로수	街路樹、並木
가르치다	教える
가볍다	軽い
가슴	胸
가을	秋
가짜	偽物
간단	簡単
간단하다	簡単だ
간식	間食、おやつ
갈아타다	乗り換える
갑자기	急に、いきなり
강아지	子犬、愛犬
같이	一緒に
개	個
거기	そこ
거리	街
거울	鏡
거짓말을 하다	嘘をつく
걱정하다	心配する
건너다	渡る
건배	乾杯
걷다	歩く
걸리다	かかる

검색	検索
게임	ゲーム
겨울	冬
결정	決定
경기장	競技場
경우	場合
경험	経験
계약금	契約金
고등학교	高等学校
고르다	選ぶ
고민	悩み
고생하다	苦労する
고양이	猫
고장이 나다	故障する
고추장	コチュジャン
고프다	(お腹が)空く
고향	故郷
공원	公園
공책	ノート
공학부	工学部
공항	空港
과	と
과목	科目
과일	果物
과자	お菓子
괜찮다	大丈夫
괴롭다	つらい

교실	教室	기쁘다	嬉しい
교통앱	交通アプリ	기차	汽車
교통카드	交通カード	기침	咳
구	九	길이 막히다	道が混んでいる
구월	9月	까지	まで
국제	国際	깜박 잊다	うっかり忘れる
군대	軍隊	깜짝 놀라다	びっくりする
귀엽다	可愛い	꺾어지다	曲がる
그것	それ	꼭	必ず
그래도	それでも	꽃가루	花粉
그런	そんな	꽃병	花瓶
그런데	ところで	끄다	消す
그럼	それでは	끝나다	終わる
그렇게	そんなに		
그렇기는 하다	それはそうだ	ㄴ	
그림	絵	나01	私、俺、僕
그만두다	やめる	나02	とか、や
근무	勤務	나라	国
근육통	筋肉痛	나쁘다	悪い
근처	近所、近く	나오다	出る、出て来る
글쎄요	さあ	나가다	出る、出て行く
금연	禁煙	나중에	後で
금요일	金曜日	낙엽	落ち葉
기내식	機内食	날다	飛ぶ
기념으로	記念に	날씨	天気
기념품	お土産	남자	男子
기다리다	待つ	남자 친구	彼氏、ボーイフレンド
기대	期待	낫다01	治る
기대되다	期待できる	낫다02	マシだ
기대하다	期待する	낮	お昼
기르다	飼う、育てる	내리다	降りる、下がる
기분	気分		

내일	明日	다큐멘터리	ドキュメンタリー
냉장고	冷蔵庫	다행이다	幸いだ
너무	あまりにも、とても	단풍	紅葉
넓다	広い	닫다	閉める
넘어지다	転ぶ	달걀	卵
네	はい	달다	甘い
넷	4つ	달러	ドル
노란색	黄色	달력	カレンダー
노래방	カラオケ	담배	煙草
노래하다	歌う	당근	人参
노력하다	努力する、頑張る	대만	台湾
노약자석	優先席	대신에	代わりに
녹차	緑茶	대학교	大学
놀다	遊ぶ	더	もっと
놀이기구	乗り物	더럽다	汚い
높다	高い	더위를 타다	暑がりだ
누르다	押す	덕분	おかげ
눈사람	雪だるま	덥다	暑い
눈싸움	雪合戦	도	度
눈이 오다	雪が降る	도망가다	逃げる
늦다01	遅れる	도서관	図書館
늦다02	遅い	도움이 되다	役に立つ、助かる
		도착	到着
ㄷ		돈	お金
		돈을 벌다	お金を稼ぐ
다니다	通う	돌아가다	帰る
다르다	違う、異なる	돕다	助ける、手伝う
다른 사람	他の人、別人	동아리	サークル
다리	橋	동안	間、期間中
다섯	5つ	되다	なる
다음	次	두근두근하다	ドキドキする
다이어트	ダイエット	두통	頭痛

둘	2つ
둘째날	二日目
뒤	後ろ
드디어	ついに、いよいよ
드리다	差し上げる
드시다	召し上がる
듣다	聴く
들리다	聞こえる
들어가다	入っていく
등	など
디저트	デザート
디즈니랜드	ディズニーランド
따끈따끈	熱々
따뜻하다	聞く、温かい
딸기	イチゴ
딸꾹질	しゃっくり
땀	汗
땀을 흘리다	汗をかく
땀흘림	汗かき
때	時
떠들다	騒ぐ
떡볶이	トッポキ
떨어지다	落ちる
또	また
뛰다	走る
뜨겁다	熱い

ㄹ

라이트업	ライトアップ
레시피	レシピ
리무진버스	リムジンバス

ㅁ

마르게리타 피자	マルゲリータピザ
마사지	マッサージ
마시다	飲む
마음	心
마음에 들다	気に入る
마음에 안 들다	気に入らない
마지막	最後
마침	ちょうどいいところへ
막걸리	マッコリ
만	万
만나다	会う
만들다	作る
만지다	触る
만화책	漫画
많다	多い
많이	たくさん、多く、非常に
말다툼	口喧嘩
말씀	お言葉
말씀드리다	お話申し上げる
말하다	話す
맑음	晴れ
맛집	おいしい店
망고	マンゴー
맡기다	預ける
매끈매끈하다	すべすべする
매일	毎日
맥도날드	マクドナルド
맥주	ビール
맵다	辛い
먹다	食べる

먼저	先に
멀다	遠い
멋지다	おしゃれだ、素敵だ
메슥거리다	むかむかする
메시지	メッセージ
메일	メール
멜론	メロン
며칠	何日
면회	面会
명동	(地名)明洞
몇	何(数字)
몇 월	何月
모델	モデル
모두	みんな
모르다	知らない、分からない
모자라다	足りない
목소리	声
목요일	木曜日
목욕하다	お風呂に入る
몸	体
무겁다	重い
무사히	無事に
무슨	何の、どんな
무엇	何
문	ドア
묻다	問う
물가	物価
물건	物、品
물론	もちろん
미국	アメリカ
미끄럽다	滑る
미술관	美術館

미식가	グルメ
미안하다	すまない
미역국	わかめスープ

ㅂ

바꾸다	換える、変える
바람이 불다	風が吹く
바로	すぐ、直ちに
바베큐파티	バーベキューパーティー
바지	ズボン
박	泊
박물관	博物館
밖	外
받다	もらう、受ける
방	部屋
배01	お腹
배02	船
배가 부르다	お腹がいっぱいだ
배구	バレーボール
배탈이 나다	お腹を壊す
백	百
백화점	デパート、百貨店
번호표	番号札
벌다	稼ぐ
벌써	もう
벗다	脱ぐ
벽	壁
별	星
병원	病院
보내다	送る
보다01	見る

보다02	より		뺏다	奪う
보들보들하다	なめらかだ			
보통	普通		ㅅ	
본가	本家、実家		사	四
봄	春		사과	リンゴ
뵙다	お会いする		사귀다	付き合う
부르다01	呼ぶ		사다	買う
부르다02	歌う		사랑	愛、恋
부르다03	満腹だ		사랑에 빠지다	恋に落ちる
부자	金持ち		사실	事実
부터	から		사실은	実は
분	分		사용하다	使用する
분필	チョーク		사우나	サウナ
불량이다	不良だ、良くない		사월	4月
불쾌지수	不快指数		사정	事情、用事
뷔페	ビュッフェ		사진	写真
블로그	ブログ		산책하다	散策する
비	雨		살다	住む、暮らす、生きる
비가 오다	雨が降る		살살하다	手加減する
비가 내리다	雨が降る		삶다	ゆでる
비밀번호	パスワード		삼	三
비슷하다	似ている		삼겹살	サムギョプサル
비싸다	値段が高い		삼월	3月
비용	費用		새치기	割り込み、横入り
비행기	飛行機		색깔	色
비행기를 놓치다	飛行機に乗り遅れる		샐러드	サラダ
빌려주다	貸す		생각	考え
빙수	かき氷		생기다	生じる
빠르다	早い、速い		생선초밥	お寿司
빨래	洗濯、洗濯物		생일	誕生日
빨리	早く、急いで		생활	生活
빵집	パン屋			

서다	立つ		시원하다	涼しい
서울	ソウル		시월	10月
선물	プレゼント		시작하다	始める、始まる
선택	選択		시장	市場
설사	下痢		시험	試験
설탕	砂糖		시험을 잘 보다	試験がうまくいく
성격	性格		식당	食堂
성공하다	成功する		식사	食事
성인식	成人式		신고하다	通報する
성함	お名前		신입생	新入生
셋	3つ		신청	申請
소개하다	紹介する		신칸센	新幹線
소나기	にわか雨、夕立		실컷	思い存分
소리를 내다	音を立てる		싫다	嫌だ
소파	ソファー		싫어하다	嫌がる
속	中、胃		십	十
수박	スイカ		십이월	12月
수상하다	怪しい		십일월	11月
수수료	手数料		싸다	安い
수영	水泳		싸움	喧嘩
수요일	水曜日		쓰다01	書く
숙제하다	宿題する		쓰다02	使う
쉬다	休む		씨	氏、〜さん
스페인	スペイン		씻다	洗う
슬프다	悲しい			
습도	湿度		ㅇ	
승차다이빙을 하다	駆け込み乗車をする		아뇨	いいえ
시	時		아니요	いいえ
시간	時間		아래	下
시계	時計		아르바이트	アルバイト
시끄럽다	うるさい		아름답다	美しい
시시하다	つまらない			

語彙リスト **167**

아무거나	なんでも	어떡해요	どうしよう
아쉽다	残念だ、寂しい、惜しい	어떤	どんな
아이디	ID	어떻다	どうだ
아이스크림	アイスクリーム	어렵다	難しい
아주	とても	어울리다	似合う
아주머니	おばさん	어제	昨日
아직	また	어쩔 수 없다	仕方がない
아프다	痛い	어학	語学
아홉	9つ	억	億
안	中	언니	姉(女性からみて)
안개	霧	언제나	いつも
안개가 끼다	霧がかかる	언젠가	いつか
안심	安心	얼마	いくら
안심하다	安心する、ほっとする	얼마나	どれくらい
안주	おつまみ、肴	없다	ない、いない
앉다	座る	에	に
알다	知る、分かる	에취	ハックション
알리다	知らせる、教える	엔	円
앞	前、以前	여권	パスポート
애완동물	ペット	여기	ここ
앱	アプリ	여기저기	あちこち
앱을 깔다	アプリをインストールする	여덟	8つ
야경	夜景	여러 가지	いろいろ(な種類の)
야채	野菜	여름	夏
약	薬	여름 방학	夏休み
약간	若干	여보세요	もしもし
약국	薬局	여섯	6つ
약사	薬剤師	여자 친구	彼女、ガールフレンド
약속	約束	여쭙다	お尋ねする
양고기	ラム肉	역	駅
어느	どんな	연락하다	連絡する
어디	どこ	연수	研修

연필	鉛筆	울다	泣く
열01	10	웃다	笑う
열02	熱	원	ウォン
열다	開ける	월요일	月曜日
영국	イギリス	위	上
영어	英語	위험하다	危ない、危険だ
옆	横	유명하다	有名だ
예쁘다	きれいだ	유산소	有酸素
예약	予約	유월	6月
예외	例外	유치원	幼稚園
오	五	유학	留学
오디션	オーディション	유행하다	流行る
오른쪽	右側	육	六
오월	5月	음료수	飲み物
오후	午後	음식	食べ物
올림픽	オリンピック	음악	音楽
와	と	의미	意味
와인	ワイン	의자	椅子
완벽	完璧	이	二
왜	なぜ	이것	これ
외국	外国	이기다	勝つ
외국 여행	海外旅行	이나	とか、や
요금을 내다	料金を払う	이를 닦다	歯磨きをする
요리하다	料理する	이름	名前
요일	曜日	이번	今度
요즘	最近	이벤트	イベント
우리	私たち	이사하다	引っ越す
우산	傘	이상하다	おかしい、変だ
우선	まず	이야기하다	話す
우승	優勝	이월	2月
우유	牛乳	이제	もう
욱신욱신	ずきずき、じんじん	이탈리아	イタリア

인기	人気	잡수다	召し上がる
인사동	(地名)仁寺洞	잡지	雑誌
인터넷	インターネット	장난감	おもちゃ
일01	一	장마	梅雨
일02	仕事、事	재료비	材料費
일곱	7つ	재채기	くしゃみ
일기예보	天気予報	저01	私
일단	一旦、とりあえず、一応	저02	あの
일본	日本	저것	あれ
일사병	熱中症	저기	あそこ
일식	和食	저희	私たち
일어나다	起きる	적게	少なく
일요일	日曜日	전국	全国
일월	1月	전등	電灯
일하다	働く	전시물	展示物
읽다	読む	전화번호	電話番号
입다	着る	점수	点数
입	口	점심	昼ごはん
입에 맞다	口に合う	접시	お皿、プレート
입장료	入場料	젓가락	箸
있다	いる、ある	정도	程度、くらい
		정류장	停留所
		정말	本当(に)
ス		정면	正面
		정보	情報
자다	寝る	정하다	決める、定める
자신	自信	제일	一番、第一
자외선	紫外線	젤리	ゼリー、グミ
자외선 차단제	日焼け止め	좀	ちょっと
자전거	自転車	종로3가	(地名)鐘路3街
잘	よく、上手に	종류	種類
잘하다	上手だ	좋다	良い
잡담	雑談		

좋아하다	好きだ、好む
좌석	座席
죄송하다	申し訳ない
주	週
주다	あげる、くれる
주말	週末
죽다	死ぬ
준비하다	準備する
줄을 서다	列を並ぶ
중요하다	重要だ、大事だ
중학교	中学校
즉시	即時、直ちに
즐겁다	楽しい
즐기다	楽しむ
지금	今
지끈지끈	しくしくと
지난번	この間
지다	負ける
지우개	消しゴム
지퍼	ファスナー
지하철	地下鉄
직진하다	直進する
진짜	本物
진찰을 받다	診察を受ける
질문	質問
짐	荷物
짐을 싸다	荷造りをする
집	家、自宅、店
짧다	短い
쭉	まっすぐ
찍다	撮る

ㅊ

차01	車
차02	お茶
차갑다	冷たい
차단제	遮断剤
차멀미	車酔い
참가하다	参加する
참다	我慢する
참석	参席、出席
창문	窓
책	本
책상	机
책장	本棚
처리	処理
처방전	処方箋
처음	初めて
천	千
청소	掃除
체조	体操
체크인	チェックイン
초등학교	小学校
초미세먼지	PM2.5
촉촉하다	しっとりとする
최고기온	最高気温
최저기온	最低気温
추가	追加
추위를 타다	寒がりだ
추천	おすすめ
축하하다	祝う
출구	出口
출국	出国

춤추다	踊る
춥다	寒い
취미	趣味
취소하다	取り消す、キャンセルする
치즈	チーズ
치킨	チキン、から揚げ
친구	友達
친하다	親しい
칠	七
칠월	7月
칠판	黒板

ㅋ

카드	カード
카레	カレー
카페트	カーペット
캐나다	カナダ
캐릭터	キャラクター
캠프파이어	キャンプファイヤー
캠핑	キャンプ
커텐	カーテン
커피	コーヒー
컨닝	カンニング
컴퓨터	コンピューター
컵	コップ
케이크	ケーキ
켜다	電気をつける
콧노래	鼻歌
쿠션	クッション
쿠폰	クーポン
크레이프	クレープ

키	身長
키가 작다	背が低い
키가 크다	背が高い

ㅌ

타다	乗る
태풍	台風
테이블	テーブル
토요일	土曜日
통로	通路
트윈베드	ツインベット

ㅍ

파마를 하다	パーマをかける
파스타	パスタ
파워포인트	パワーポイント
파전	チヂミ
파티	パーティー
팔	八
팔다	売る
팔월	8月
팥	小豆
팥빙수	パッピンス
편리하다	便利だ、楽だ
편의점	コンビニ
편찮다	体調を崩される
편하다	楽だ、便利だ
평일	平日
포기하다	あきらめる
포인트를 모으다	ポイントを貯める
풀다	問題を解く

풍경	風景
프랑스	フランス
프론트	フロント
피부	皮膚、肌
피아노를 치다	ピアノを弾く
피우다	吸う
필리핀	フィリピン
필요	必要
필요하다	要る、必要だ
필통	筆箱

ㅎ

하고	と
하나	1つ
하루 종일	一日中
학번	学籍番号
학생증	学生証
한 곡	一曲
한	約、およそ
한강	(地名)漢江
한국	韓国
한식	韓食
한턱 내다	奢る
할머니	おばあさん
해물	海鮮
햄버거	ハンバーガー
행복하다	幸せだ
헤어지다	別れる

현금	現金
호수	湖
호실	号室
호주	オーストラリア
호텔	ホテル
혹시	もしかして
혼자	独り(で)
홀	ホール
홍대	(地名)弘大
홍차	紅茶
화가 나다	怒る、腹立つ
화요일	火曜日
화장실	お手洗い
화장을 하다	化粧をする
화장품	化粧品
확인	確認
환불	払い戻し
환율	為替レート
환전	両替
황사	黄砂
회	刺身
회사	会社
횡단보도	横断歩道
훈련	訓練
휴지통	ゴミ箱
흐르다	流れる
흐림	曇り
힘들다	大変だ

模範解答は、
QR コードをスキャンするとご確認いただけます。

	-고	-는	-으니까/니까	-습니다/-ㅂ니다
찾다	찾고	찾는	찾으니까	찾습니다
작다	작고		작으니까	작습니다
먹다	먹고	먹는	먹으니까	먹습니다
적다	적고		적으니까	적습니다
가다	가고	가는	가니까	갑니다
싸다	싸고		싸니까	쌉니다
오다	오고	오는	오니까	옵니다
하다	하고	하는	하니까	합니다
만들다	만들고	만드는	만드니까	만듭니다
멀다	멀고		머니까	멉니다
굽다	굽고	굽는	구우니까	굽습니다
돕다	돕고	돕는	도우니까	돕습니다
춥다	춥고		추우니까	춥습니다
곱다	곱고		고우니까	곱습니다
좁다	좁고		좁으니까	좁습니다
듣다	듣고	듣는	들으니까	듣습니다
믿다	믿고	믿는	믿으니까	믿습니다
낫다	낫고	낫는	나으니까	낫습니다
짓다	짓고	짓는	지으니까	짓습니다
솟다	솟고	솟는	솟으니까	솟습니다
웃다	웃고	웃는	웃으니까	웃습니다
크다	크고		크니까	큽니다
바쁘다	바쁘고		바쁘니까	바쁩니다
모르다	모르고	모르는	모르니까	모릅니다
기르다	기르고	기르는	기르니까	기릅니다
빨갛다	빨갛고		빨가니까	빨갑니다
넣다	넣고	넣는	넣으니까	넣습니다

-은/ㄴ	-을/ㄹ	-어요/아요/여요	-었습니다/았습니다/였습니다	-었어요/았어요/였어요
찾은	찾을	찾아요	찾았습니다	찾았어요
작은	작을	작아요	작았습니다	작았어요
먹은	먹을	먹어요	먹었습니다	먹었어요
적은	적을	적어요	적었습니다	적었어요
간	갈	가요	갔습니다	갔어요
싼	쌀	싸요	쌌습니다	쌌어요
온	올	와요	왔습니다	왔어요
한	할	해요	했습니다	했어요
만든	만들	만들어요	만들었습니다	만들었어요
먼	멀	멀어요	멀었습니다	멀었어요
구운	구울	구워요	구웠습니다	구웠어요
도운	도울	도와요	도왔습니다	도왔어요
추운	추울	추워요	추웠습니다	추웠어요
고운	고울	고와요	고왔습니다	고왔어요
좁은	좁을	좁아요	좁았습니다	좁았어요
들은	들을	들어요	들었습니다	들었어요
믿은	믿을	믿어요	믿었습니다	믿었어요
나은	나을	나아요	나았습니다	나았어요
지은	지을	지어요	지었습니다	지었어요
솟은	솟을	솟아요	솟았습니다	솟았어요
웃은	웃을	웃어요	웃었습니다	웃었어요
큰	클	커요	컸습니다	컸습니다
바쁜	바쁠	바빠요	바빴습니다	바빴어요
모른	모를	몰라요	몰랐습니다	몰랐어요
기른	기를	길러요	길렀습니다	길렀어요
빨간	빨갈	빨개요	빨갰습니다	빨갰어요
넣은	넣을	넣어요	넣었습니다	넣었어요

1 課

(1) Q : 이것은 무엇입니까?

　　 A : 그것은 그림입니다.

(2) Q : 이것은 학생증입니까?

　　 A : 아니요, 그것은 학생증이 아닙
　　　　 니다. 연필입니다.

(3) Q : 이것은 지갑입니까?

　　 A : 네, 지갑입니다.

2 課

Q1. 팥빙수 **하나**와 커피 **셋**, 아이스크림
둘과 햄버거 **넷** 주세요.

Q2.

A: 고양이는 어디에 있어요?

B: 소파 아래에 있어요.

A: 연필은 어디에 있어요?

B: 소파 위에 있어요.

A: 꽃은 어디에 있어요?

B: 꽃병 안에 있어요.

3 課

A: 미카 씨는 카레를 좋아해요?

B: 아니요 저는 안 좋아해요.

A: 그럼 멜론빵은 좋아해요?

B: 네, 아주 좋아해요.

A: 피자는요?

B: 피자도 좋아해요.

A: 커피는 좋아해요?

B: 커피는 안 마셔요. 저는 녹차를 좋아
해요.

4 課

① 두 시 삼십 분

② 열한 시 십팔 분

③ 여덟 시 사십오십 분

④ 여섯 시 오십 분

5 課

저는 디즈니랜드에 가고 싶어요.

놀이기구를 타고 싶어요.

사진은 찍고 싶지 않아요.

미키를 만나고 싶어요.

기념품은 안 사요.

6 課

내일의 날씨를 말씀드리겠습니다. 내일 도쿄는 가을 날씨이고 시원하겠습니다. 최고기온 이십삼 도, 최저기온은 십육 도입니다. 구름은 없습니다.

7 課

A: 미카 씨, 내일 영화관에 갈까요?

B: 아니요, 못 가요. 병원에 가야 해요.

A: 병원요?

B: 다리가 아파요.

A: 제가 같이 병원에 가 줄까요?

B: 네, 고마워요.

8 課

① A: 바다에 가세요?

　B: 네, 날씨가 좋으니까 서핑하러 가요

② A: 슈퍼에 가세요?

　B: 네, 바베큐파티를 하니까 고기하고 야채를 사러 가요.

③ A: 콘서트에 가세요?

　B: 네, 아이돌이 나오니까 사진도 찍고 사인 받으러 가요.

9 課

① A: 앉아도 돼요?

　B: 여기에 앉으면 안 돼요. 여기는 노약자석이에요.

② A: 노래를 불러도 돼요?

　B: 노래방이니까 괜찮아요.

③ A: 사진을 찍어도 돼요?

　B: 촬영금지니까 찍으면 안 돼요.

④ A: 승차드라이빙 해도 돼요?

　B: 위험해요.

10 課

A: 환전을 하고 싶은데요. 여기에서 할 수 있어요?

B: 뭘 바꾸실 거예요?

A: 달러를 한국 돈으로 바꾸고 싶어요.

B: 바꿀 수 있어요.

A: 오늘 환율이 어때요?

B: 일 달러에 천백오십 원이에요.

A: 삼백 달러를 원으로 바꿔 주세요.

B: 삼십칠만 오천 원입니다.

11 課

A: 어디가 불편해서 오셨어요?

B: 눈이 간질간질하고 눈물도 나오고 재채기도 해요. 콧물도 나와요.

A: 언제부터 불편하셨어요?

B: 지난 주부터요.

A: 아, 요즘 갑자기 추워지니까 알레르기가 시작됐나 보네요. 안약하고 약을 처방해 드릴게요. 좋아지지 않으면 다시 오세요.

12 課

A: 한식 뷔페에 가고 싶은데 어디가 맛있어요?

B: 명동역 3번 출구로 나오세요. 그리고 앞으로 쭉 가면 왼쪽에 편의점이 있어요. 거기서 왼쪽으로 꺾어지자마자 바로 은행이 있어요. 은행 앞에서 길을 건너면 5층 빌딩이 있어요. 거기 2층에 맛있는 한식 뷔페집이 있어요.

13 課

A: 왜 그렇게 얼굴이 빨개졌어요?

B: 어제 마라톤을 해서 얼굴이 탄 것 같아요.

A: 마라톤은 어땠어요?

B: 더워서 죽을 뻔했어요. 다리도 너무 아파요.

14 課

A: 은아 씨, 스케이트 탈 줄 아세요?

B: 아니요. 탈 줄 몰라요.

A: 재미있는데…. 제가 가르쳐 줄까요?

B: 스케이트가 이렇게 재미있는 줄 몰랐어요. 무서운 줄 알았어요.

❀ 김수정(金秀晶)

　教育学博士。
　ソウル大学国語教育科卒業。同大学大学院国語教育学修士・博士課程修了。
　現在、獨協大学国際学部教授。
　『もう初級者なんて言わせない韓国語：中級から上級編』(白帝社 , 2021)、『もう
　できないなんて言わせない韓国語：初級から中級編』(白帝社 , 2023)

❀ 박종후(朴鍾厚)

　文学博士。
　延世大学校人文学部卒業。同大学大学院国語国文学科修士・博士課程修了。
　現在、同志社大学グローバル地域文化学部准教授。
　『コツコツ韓国語文法練習』(博英社 , 2021)、『コツコツ知ろう韓国の社会と文
　化』(博英社 , 2022)、『コツコツ覚えよう初級韓国語学習用語彙 2000』(博英社 ,
　2022)

韓国語コミュニケーションレシピ（初級）

初版発行　2023年3月31日

著　　者　金 秀晶・朴 鍾厚

発 行 人　中嶋 啓太

発 行 所　博英社
　　　　　〒 370-0006 群馬県 高崎市 間屋町 4-5-9 SKYMAX-WEST
　　　　　TEL 027-381-8453 / FAX 027-381-8457
　　　　　E・MAIL hakueisha@hakueishabook.com
　　　　　HOMEPAGE www.hakueishabook.com

ISBN　　 978-4-910132-43-3

定　　価　2,530円（本体2,300円）